諏訪式。

小倉美惠子

AKISHOBO

諏訪式。　もくじ

松本市
長和町
佐久市
塩尻市
岡谷市
中山道(R142号)
霧ヶ峰
立科町
蓼科山
下諏訪町
諏訪大社
下社春宮
諏訪大社
下社秋宮
旧御射山社
(下社)
藤原咲平
生誕地
岡谷IC
下諏訪
柿蔭山房
辰野町
岡谷蚕糸
博物館
岡谷
諏訪湖博物館・
赤彦記念館
茅野市
諏訪湖
岡谷Jct
上諏訪
八劔神社
諏訪清陵
高校
岩波茂雄
生誕地
諏訪市
諏訪IC
寒天工場・
諏訪乾燥海苔商出身地
八ヶ岳連峰
辰野
諏訪市博物館
茅野
諏訪大社上社本宮
神長官守矢史料館
諏訪大社
上社前宮
杖突峠
原村
箕輪町
諏訪南IC
すずらん
の里
富士見
富士見町
伊那市
信濃境
小淵沢IC
小淵沢
JR中央本線
甲州街道(R20号)

第一章

シルクエンペラーと東洋のスイス

――近代ものづくり編

信州人の企業

「岩波書店、筑摩書房、みすず書房、養命酒、新宿中村屋、セイコーエプソン、ヤシカ、チノン、ハリウッド化粧品、ワシントン靴店、日比谷松本楼、ヨドバシカメラ、タケヤみそ、神州一味噌、清酒真澄、すかいらーく、ポテトチップスの湖池屋……」

日本中の誰もが知るであろうこれらの会社や店の創業者は「信州人なのだ」と、誇らしげに私に語ったのはささらプロダクションの大黒柱で映画監督の由井英《ゆいすぐる》。

私はいつものように「信州人のお国自慢」として受け流そうと思ったが、なんだか気を惹《ひ》かれてしまったのだ。名の挙がった会社の多くに、私自身も「佳風《かふう》」を感じ取っていたということ、また、その多くが諏訪《すわ》に原点を持つということも興味深かった。

新作映画のロケで諏訪に通うようになって足かけ九年。私は諏訪の町で気に入っていることがいくつかある。その一つが他の都市に比べて全国展開のチェーン店が少ないことだ。サンリッツロード（県道四八七号）や国道二〇号線などの幹線道路のロードサイドには見慣れた店の看板がずらり並んでいるが、かつての諏訪（高島）藩のシンボル高島城「城下」の町中では、コンビニを探すのにちょっと手間取るくらいなのだ（実はこの原稿の筆をしばし休ませている間に、コンビニは増えている）。温泉街を見ても外来の資本と思しき施設は少ない。「寂《さび》れている」というのとは違い、「何か」の力が働いているように感じている。

わが故郷、川崎市北部の多摩丘陵に広がる村々では、昭和五〇年代に、山林や田畑が急激に宅地に変わり都市化していった。都心につながる電車も敷かれ、私は友だちと繁華な渋谷や自由が丘に遊びに出るようになった。しばらくすると、町に一軒のコンビニエンスストアができ、その後は雪崩《なだれ》を打つように都心で流行った店が次々と出店してきた。私は流行りの店が来ることを喜び、それが町の価値《ステータス》だと考えるようになった。それから間もなく、残された山林や畑のほとんどが宅地に変わり、顔なじみのおじさん、おばさんが営んでいた地元の小さな店は消えた。

無自覚に、外からやってくる目新しいものをありがたがっているうちに、「町は誰かが作るもの」という他人任せな気分が支配し、地域の主体性、ひいては自分自身の主体性をも明け渡してしまっていた。気づいた時には故郷の面影は失せて、ありきたりな町並みに変わっていた。

近代化の過程で、地域住民が主体性を失わずにあり続けることがどれほど難しいか……。

だからこそ、信州人が地元に源を持つ企業に誇りと愛着を持っていること自体が、ちょっと驚きであり、何よりうらやましかった。

わが町界隈には、今も続々と新しい装いの店がやって来ては、次々に消える。そのサイクルは年々短くなり、今や開店への新たなときめきも、退店を惜しむ気持ちも起きてはこない。感情が摩耗してしまったのか……と思うほどに。ただ遠い日に、地元の小さな店が閉じられたときに刻まれた悲しみと後ろめたさが心の奥底でかすかに明滅するのみとなっている。

「企業」とは、ドライで厄介なものだと思ってきただけに、人々が親しみ、心膨らませる信州人の企業の秘密を知りたくなった。

「地生え」の企業

わが川崎市の沿岸部や多摩川沿いにも企業や工場がたくさんある。なにせ、高度経済成長を支えてきた京浜工業地帯の中核をなす「工都」なのだ。ところが川崎の工場は地元民が興したものでなく、落下傘のように外からやってきた「外様」である。川崎の地着きの農家に生まれ育った私が川崎の企業に愛着を持てない理由はそこにある。

諏訪に通うようになって、高度経済成長期に諏訪の精密機械産業を牽引したヤシカ（一九八三年、京セラに吸収合併）、チノン、三協精機製作所（現日本電産サンキョー）といった有名企業が諏訪の地元から生まれた「地生え」であることを知り、さらにはグローバル企業に成長したセイコーエプソンが、今なお諏訪の地に本社を構え続けていることに驚いた。

さて、諏訪においてはヨソモノである私は初歩的なことすら知らず、「諏訪＝諏訪市」だと思い込んでいた。ところが「諏訪市、岡谷《おかや》市、茅野《ちの》市、下諏訪《しもすわ》町、富士見町、原村」の六市町村を合わせた、かつての諏訪郡域を「諏訪」と呼ぶのだそうだ。諏訪湖を中心に八ヶ岳や霧ヶ峰も含む広大な地域だ。広いだけでなく、標高差も相当なもの。人口は約二〇万人。その多くは「諏訪の平《たいら》」と呼ばれる諏訪湖周りの盆地に集まっている。

驚くべきことに、この諏訪圏内にはなんと二〇〇〇社を超える「ものづくり企業」が存在するという。一〇〇人に一人が精密機械企業の経営者ということになる。川崎市のお隣り東京都大田区も「ものづくり企業の集積地」と言われ、約四三〇〇社を数えるが、人口比で言えば一五七人に一社と、諏訪圏に及ばない。それにしても、山深い信州諏訪でどのように地生えの企業が生まれ、育ったのだろう……。

観光気分の抜けない「諏訪初心者」の私は、向学のために地元の図書館で資料をあたったが、そこは文系女子の悲しさ。数字やグラフが並んだ産業資料にはお手上げ状態。しばらくして、私にうってつけの虎の巻を手に入れた。その名も『諏訪マジカルヒストリーツアー』。この冊子は諏訪の地元紙・長野日報社が発行したもので、「建築探偵団」や「縄文建築団」などのユニークな活動で知られる建築家の藤森照信さんが、ご自身の地元でもある諏訪について語っていることにまず惹かれた。藤森照信氏の他に、地元経済界の重鎮で元諏訪商工会議所会頭の山崎壮一氏、さらには、プロデューサーの立川直樹氏（私たちの世代であれば、ビートルズやピンク・フロイド、クイーンといったロックバンドのライナーノーツでその名を目にしているはず）という異色の顔ぶれが、江戸時代の行商から始まり、近代の製糸業そして精密機械産業に至る諏訪の産業の変遷について対談形式で語りあう構成になっている。

「マジカルヒストリーツアー」なんて、気の利いたタイトルは、もちろんビートルズの「マジカル・ミステリー・ツアー」からの本歌取りだ。さらに魅力的なのは、この企画が新聞連載されていた頃に市井から次々に寄せられた声や資料が収められていることだ。そこには地元の人でなければ知りえない、そして語りえない、まさに等身大の声が反映され、地元の新聞の強みが生かされた企画だった。この冊子を起点として、私は自分の目線で諏訪を歩き、人に話を聞き、資料をあたるきっかけをつかんだ。ステレオタイプな「観光目線」を脱し始めたのだ。

諏訪「ものづくりのＤＮＡ」

川崎を含め、東京近郊の近代産業は、それ以前の歴史とは断絶している。つまり、地元で代々暮らしてきた漁師や農民たちの土地を召し上げて、そこをコンクリートで埋め塞いだ上に大企業の工場が移転してきたのだ。かつて東京湾で行われていた海苔の養殖や多摩川河畔の肥沃な地で桃や梨の栽培をしていた人々と工場とは、何の縁もゆかりもない。東京湾岸に展開した重厚長大産業の時代からＩＴ産業に移行して、多摩川沿いの内陸が「日本のシリコンバレー」と呼ばれるようになっても事情は変わらない。わが川崎のみならず、これまで訪れた地域でも、大企業のほとんどは「地価や税金が安い」などの理由で移転してきた外様企業で、地域との関係が希薄だった。

ところが諏訪では、江戸時代の地場産業から近代の製糸業、戦後の精密機械産業からIT、メカトロニクスと言われる現在に至るまで、その主体は地生えの諏訪人たちであることに驚かされる。その諏訪人の言う「ものづくりのDNA」という言葉に象徴されるように、表の看板は代わっても主体は変わらないのだ。

諏訪の「ものづくりのDNA」を語る時、先史時代の「黒耀石の加工流通」にまで遡《さかのぼ》る。一万年以上も昔の話に「そんな大袈裟な」と言いたくなる気持ちもないではないが、たしかに黒耀石の昔から、寒天、海苔、生糸、時計、オルゴールなど、時代を問わず諏訪の産業の基本スタイルは「軽薄短小」。つまり人が背負って運べるほどの軽く小さなものを扱ってきた。四方を山に囲まれた山国で、人が背負うか牛馬の背を頼りに峠を越えなければ交易ができなかった土地柄によるとされる。

「諏訪を東洋のスイスに！」を合言葉に精密機械産業を興した第一世代はすでに一線から退き、その多くは鬼籍に入っている。当時の企業には消長も見られるが、二〇〇〇余りのものづくり企業を擁する諏訪で、その最盛期にはどのような製品が作られてきたのだろう。完成品でみると時計、オルゴール、カメラ（光学機器）、ポンプ、バルブ……と、大まかに五つくらいに分けられそうだ。完成品もさることながら部品の加工こそが「精密機械の命」

と言えるらしい。時計は諏訪精工舎、オルゴールは三協精機、カメラや光学機器はヤシカ、チノン、日東光学（現nittoh）、ポンプは荻原製作所、バルブは東洋バルヴやキッツといった企業が世界的なシェアを誇る大企業に成長したというが、それらに供給する部品を作る中小企業が精密機械産業を支えてきたとも言える。時計の部品だけでも一〇〇〜六〇〇個といわれ、針や竜頭《りゅうず》などそれぞれに異なる工場で作られるという。近頃では、それもロボットや型抜きで量産が可能になっているが、当時は旋盤を使って小さな部品の一つ一つを人が削り出していたというから驚きだ。「日本のものづくりは中小企業の技が支えてきた」と、よく言われることだが、ここも例外ではないようだ。

半農半工

セイコーエプソンや三協精機、チノンといった大企業も、その始まりは、「味噌蔵」「製糸工場」「寒天工場」といった、かつて諏訪に栄えた産業の「遺産」を土台として生まれている。これは外からやってきた企業には考えつかない発想で、ここにも「ものづくりのD

NA」を読み取ることができないだろうか。

さらに「納屋工場」という存在に、私は興味を持った。「納屋工場」とは、農具などをしまう納屋に旋盤などの工作機械を持ち込むことをいい、昼間は野良仕事や漁労をし、夜は機械工作の下請けを行ってきた「半農半工」もしくは「半漁半工」の人々がいたことを物語る。諏訪では百姓をしながら、精密機械産業に携わった人がいたということだ。

私は諏訪の庶民がどのように「精密機械」を扱う技術を習得したものか不思議でならない。なぜなら川崎の場合、百姓が大企業の工場と対等に渡り合うなどということはできなかった。耕すべき畑を失い、恵み多き海を埋め立てられた百姓は、補償金を元手に細々と暮らすか、工場に雇い入れられるのが精一杯だった。また、ベッドタウンとして爆発的に人口の増えた北部丘陵地域でも、百姓は天井知らずに値の吊り上がる「土地」に依存し、先祖伝来の田畑を宅地に換え、切り売りして生き長らえてきた。

私自身、不動産業に乗り出した父が山林、農地を売り渡した経済力で何不自由なく育てられてきたが、心のどこかで「百姓は悲しい」と思ってきた。それでも首都圏の百姓は贅沢だ。工場などの働き口も少なく、地価に頼ることができない地方の百姓はさらに厳しい。これほど経済的に発展したといわれる日本でも、大多数の地域には「仕事がない」とされ

納屋工場（岡谷蚕糸博物館）

る。都市に人が流出し、空洞化を止める術もない。東日本大震災で大津波に襲われた地域では、その傾向がより顕著になっているとも聞く。この極めて厳しい状況下において「補助金に頼るな」「自立しろ」という方が酷な話だとも思う。

前著『オオカミの護符』（新潮文庫）は、本来自立を旨として生き抜いてきた「百姓」を、悲しい存在に貶《おとし》めた近代へのささやかな抵抗という気持ちが書かせたとも言えるし、「消えゆく百姓」の、顧みられることのなかった価値を見出すために歩み出した旅の記録とも言える。

……ところが、諏訪の百姓は、悲しむどころか自らの才覚で近代の足場を築き、育て上げ、意気揚々と地元に生きてきた。

三協精機がオルゴールの生産で世界の八割に上るシェアを占め、創立三五周年を記念して出版した『オルゴールの詩――東洋のスイス物語』の中に書かれた言葉に、私は目を見はった。「原点は百姓です。背広を着てどんなにいい恰好をしても百姓は百姓です。それを忘れてしまったら挫折します」。創業者の一人、山田正彦の言葉だ。

山田正彦は一九一四（大正三）年に生まれ、蚕糸学校を出て北澤工業（後の東洋バルヴ）に勤めた。当時、諏訪に疎開していた諏訪精工舎から北澤工業に出向していた優秀な技術者である小川憲二郎を誘い、弟の六一《ろくいち》とともに三協精機を興したという。起業したてのうちは苦労の連続であったというが、小川の技術力に助けられ富士電機の下請けで土台を作り、さらにオルゴール生産のきっかけを得たことで世界的なシェアを誇る企業となる。山田が蚕糸学校や北澤工業で培った基礎と、外来の優秀な技術者との「合わせ技」が、功を奏したといえるのだろう。「諏訪にあるもの」と「諏訪にないもの」の融合。この時、「諏訪にあるもの」の側に重心を置くことで「主体性」が保たれた。私はそこに諏訪のＤＮＡを感じるのだ。

「外来者」と渡りあう

「合わせ技」といえば、諏訪精工舎がまさにその典型といえるだろう。……などと書くといかにも事情通のようだが、実のところ諏訪に来るまで「服部セイコー」と「第二精工舎」、「諏訪精工舎」の違いがまるでわからなかった。その違いは、山崎久夫という一人の諏訪人の誠意と情熱に満ちた不屈の行動を追う中で、はっきりとした輪郭が描けるようになっていった。

山崎久夫は三協精機の山田正彦より一〇歳年上で一九〇四（明治三七）年に諏訪に生まれている。生家は町の小さな時計店で、服部時計店の創業者・服部金太郎に憧れていた山崎は、一五歳で東京の服部時計店に丁稚奉公《でっちぼうこう》に入った。四年後の一九二三（大正一二）年に関東大震災で服部時計店が被災したことから実家に戻り、折から斜陽を迎えていた製糸業の工女を雇い入れ、服部時計店から時計の組み立ての仕事を請け負い、店を大きく育てた。

「諏訪に製糸業に替わる新たな産業を」と考えた山崎は、なんと服部時計店の生産工場を諏訪に誘致することを考え、地元諏訪市の協力も取り付け、積極的な働きかけを始める。

折しも戦争が本格化しつつある中で、服部時計店側も生産部門である第二精工舎の疎開を考えていたことから、山崎の熱意が通じ、諏訪への疎開が決まったという。

山崎はさっそく諏訪市大和《おわ》（現セイコーエプソン本社所在地）に土地を買い、味噌蔵を改造して工場とした。第二精工舎の工場長布施義尚を社長に迎え、山崎を取締役として一九四二（昭和一七）年五月に第二精工舎の協力工場「大和《だいわ》工業」が創業する。

しかし、時は戦時下。山崎の時計製造への思いも空しく、大和工業も軍需生産に転換せざるを得なかった。そしてさらなる戦況の悪化によって、服部時計店は第二精工舎を桐生、富山、仙台、諏訪に分散疎開させ、山崎の強い働きかけを受けて服部時計店の専務（後に第三代社長）服部正次一家も諏訪に疎開してきた。

終戦を迎えると、疎開した各地の第二精工舎工場は東京に引き揚げを始めたが、最終的に諏訪だけに工場が残された。その陰には、窮乏極まる中で、都会から疎開してきた第二精工舎の工員らに不自由をさせまいと、住宅を確保し、薪を得るための山を買い取って自ら木を伐り出し、危険を顧みずヤミ米や食料を入手するなど身を挺して奔走した山崎久夫の献身があるという。「諏訪に時計工場を」とひたすらに願った山崎の思いは叶い、戦後、大和工業と第二精工舎諏訪工場はそれぞれの力を合わせて時計の生産を始める。諏訪人の

味噌蔵を工場にした大和工業、昭和20年、組立・外装のようす（セイコーエプソン）

熱意と疎開組の技術力の結集が生んだ腕時計「マーベル」が爆発的な人気を得て一九五九（昭和三四）年「諏訪精工舎」が誕生する。まさに「諏訪＋精工舎」。内なる力と外の力の「合わせ技」であり、その後の「諏訪精工舎」は、東京オリンピックの公式計時の担当を機に、クオーツ腕時計の実用化などの実績を重ね、セイコーグループを牽引するほどの力を発揮していく。

戦時中、諏訪には帝国ピストンリング（現TPR）や高千穂光学工業（現オリンパス）、日本光学工業（現ニコン）などの企業が疎開し、そのまま根を下ろした企業もある。地生えの光学機器メーカーである日東光学やチノンなども外来企業の力をテコに、自力で会社を成長させている。この内なる力と外の力の「合わせ技」という力学は「黒耀石の加工流通」同様に、かなり古くから諏訪人の精神の基層にあるように思われる。そう考えるきっかけとして、ささらプロの新作映画『ものがたりをめぐる物語』の取材で知った「ある神話」の存在がある。その神話を手短かに紹介しよう。

古代の大和王権が各地の勢力をまとめ上げようとしていた時代、大国主神《オオクニヌシノカミ》の息子として出雲の国譲りに抗い続けていた「建御名方神《タケミナカタノカミ》」が戦いに敗れ、諏訪に飛ばされた。そこで諏訪の在来勢力「洩矢神」(洩矢はモレヤ、モリヤと二通りの読み方がある) と戦う。建御名方神は戦いには勝利したが、在来勢力の「洩矢神」と実質的な並立関係が持続していく様が『諏《す》方大明神絵《わだいみょうじんえ》(画)詞《ことば》』に記されている。

戦いに勝った外来者が先住者を駆逐せずに共存していく姿に「合わせ技」の伝統を感じる。また、在来の洩矢神側に比べて外来の建御名方神側は、より高度な文明や技術を持っていたと思われるが、洩矢神側はその力を引き入れることで、土着のDNAを温存し続けたとも考えられる。この地下水脈のような土着のDNAが、時代を問わず必要に応じて間欠泉のごとく諏訪人の行動原理として現れてくるところに、諏訪の土地柄の不思議さと魅力があるのではないだろうか。

東洋のスイス

精密機械産業が盛んな諏訪は「東洋のスイス」と言われる。「東洋のスイス」という言葉を最初に使ったのは誰かという問いは、諏訪の人々にとっても関心事ではないだろうか。実際のところよくわからないのだが、その一人と言われている賀川豊彦《かがわとよひこ》という人の人生は、諏訪の時計作りと微妙に交差している。

賀川は一八八八（明治二一）年に神戸に生まれ、キリスト教プロテスタントの伝道者として、神戸のスラムで貧民と共に生活をしながら、社会活動に身を捧げた。農協や生協という協同組合を日本に定着させたのも賀川の仕事だ。

彼は神戸のスラムに貧民がとめどなく流れ来る現状に、「川下にいても流れは止められない。貧民を生む源流から変えねば」と、つまりは源流である山村をまず豊かにしなければと考え、耕作できる土地が少ない山地の斜面をうまく活用する「立体農業」という考え方を実行に移そうとした。これは、アメリカの農学者ジョン・ラッセル・スミスという人が書いた *Tree Crops: A Permanent Agriculture* という本を、賀川が『立体農業の研究』と題して翻訳し、紹介したことに始まる。

ジョン・ラッセル・スミスがこの本を書いた一九二九（昭和四）年頃、アメリカでは「土壌流失」による砂漠化が大きな問題になっていた。

「山間部や丘陵地帯などの傾斜地で森林を伐採し農地を拓《ひら》く。鋤《すき》で耕し、穀物を作る。しかしこうして裸にされ、耕された土は徐々に雨に流され、風で吹き飛ばされ〝土壌流失〟が起きる。その結果やがてそこは表土を失い不毛の地と化す。中国で、シリアやギリシャで、そしてグアテマラで、人類の農耕による土壌破壊は世界中で引き起こされてきた」とスミスは言う。

アメリカでは、トウモロコシ、ワタ、タバコなどの換金作物を大規模に作付けした。その根は土を捕捉する力が弱く、土壌流失を加速させる。また同じ作物を見渡す限りに植栽する「単作」（モノカルチャー）も土壌に負担をかけた。スミスは先住民の「インディアン《原文ママ》」から無理矢理奪取した土地であるにもかかわらず、表土が失われ砂漠化すると、開拓民はそこを棄てて新開地を求めたと言っている。

スミスは、地力を破壊することのなかった先住民の土地利用に学び、起伏地には堅果樹（クリ、カシ、クルミ、ペカンなど堅果をつける樹木）を植え、その下に一年生の植物を植える「二階農業」を提唱した。

賀川豊彦は、このスミスが言う二階農業と出会い、疲弊した日本の山間の農村部でこそ「立体農業」（言わば複合農業）が実践されなければならないと主張する。「地球上の一割五分しかない平地にしがみついていたらやがて食料が不足する。米麦穀物は中心にするが、残り八割五分を立体的、つまり山に依存すべきだと主張した。つまり、シイタケを育て、クリやクルミを植え、ヤギやヒツジを飼って乳をとる。農閑期の田んぼではコイなど淡水魚を飼えば農村経済は相当に充実する」と言う。そして日本の林野面積が二二八九万町歩（一九二七〈昭和二〉年）にも上ることを指摘し、「日本の面積は決して狭くはない。ただ山を有用に食糧資源にしようとしていないことが我々の誤謬《ごびゅう》である。我々の理想は木材と食糧と、衣服の原料が、三つとも山からとれるようにすることである」（『立体農業の研究』）と言っている。

賀川は、日本の山にも古くから堅果樹が植えられ、利用されてきたことを知る（まさにこの諏訪の八ヶ岳山麓で繰り広げられた縄文文化もクリをはじめとする堅果に支えられていたのだ！）。賀川は、堅果を食べる家畜を飼う牧場を作り、ハムやソーセージなどの加工品を作る工場も併設することを勧めた。諏訪ではないがわが国唯一の農民資本による群馬県「高崎ハム」は、創業にあたり、賀川が興した御殿場農民福音学校の技術者が指導にあたっている。

立体農業には軽工業も組み込まれ、「時計工場」と農村との組み合わせにも、賀川は大いに力を入れた。彼は農村に時計工場を広める上で「東洋のスイス」を謳ったと言われている。

そこには精工舎が絡んでいる。戦時中、精工舎は軍から弾薬を作動させるための装置である「信管」の製造を命じられて埼玉県北葛飾郡南桜井村（現春日部市）に疎開工場「精工舎南桜井工場」を設立した。

この精工舎南桜井工場には陸軍（技術）の将校が常駐監督し、召集されなかった服部時計店の工員や店員のほとんどが派遣され、勤労動員された学生や地域の婦人も含めて「信管」製造を行っていた。終戦を迎えると精工舎は直ちに南桜井工場を閉鎖し、工場はGHQの管理下に入った。

賀川は、精工舎が撤退した後に残った広大な敷地、工場建物、設備をGHQから譲り受け（プロテスタントであったことが交渉を有利にさせたといわれている）、一九四六（昭和二一）年から時計工場の「農村時計製作所」と技術者養成機関「農村時計技術講習所」を併設した。時計工場では目覚まし時計の他に置き時計、掛け時計「PASTORAL」、バリカンなどを製造し、一九五〇（昭和二五）年には時計性能コンクールで通産大臣賞を受賞している。

「農村時計」とは、農民だったら絶対に避けるであろう、なんともベタなネーミングだが、「農村時計技術講習所」では、精工舎から招聘した技術者も指導にあたったという。卒業生が、実際に農村で時計づくりを実現したのは、南信・上伊那《かみいな》の「龍水社」と、北信・篠ノ井《しののい》の「千曲川《ちくまがわ》農村時計製作所」の二カ所だった。どちらも信州であるのは、製糸業から精密機械産業へ鮮やかに転換しつつある諏訪の影響があったのではないだろうか。

特に、上伊那の龍水社は伊那地域の生糸販売組合連合会として設立され、製糸業の斜陽化の中で時計製造に舵を切ったものだろう。ここは、精密機械産業のメッカでもある諏訪に近く、諏訪の技術者を養成していた岡谷工業高校のバックアップも得られたと聞く。

諏訪精工舎と農村時計のいずれも、戦時中に疎開を余儀なくされた精工舎から生まれたことは「東洋のスイス」にまつわる話として面白い。

父なる存在

一方、諏訪の精密機械産業に欠かせない存在として、北澤工業からの系譜を汲む企業群がある。オルゴールの三協精機、カメラのヤシカ、ポンプの荻原製作所、バルブのキッツなどの大企業をはじめ、中小企業の経営者の多くが北澤工業で働く中で技術やさまざまなノウハウを身につけて起業し、独立を果たしたという。

その背景として、戦時下で軍需工場に転換した企業が、終戦と同時に多くの解雇者を出さざるを得なかったという事情があった。北澤工業も同様だったようだが、北澤工業出身の経営者たちは、後年に至るまで北澤工業創業者を慕っていたと聞き、興味深く思った。言わば諏訪精密機械産業界の父なる存在ともいえる北澤工業とは、どのような会社なのだろう。

北澤工業の創始者・北澤國男は、一八九五（明治二八）年に生まれ、一五歳で紅花商に丁稚奉公に上がり、そこで商売を覚えたという。紅花の需要の落ち込みから、二〇歳の頃に生糸の原料である繭の仲買人として独立し、各地から品質のよい繭を買い付け、岡谷をはじめ諏訪地域の製糸場に売ることで財を築いたようだ。製糸場に出入りするようになった國男は、大量のお湯を循環させて糸をとる製糸業に欠かせないバルブの故障品の多さに着目する。丁稚奉公で培った商才が光る第一ポイントだ。

当時のバルブは外国産がほとんどで、国産のものは粗悪品が多かった。そこで國男は頻繁に発生するバルブの故障の修理を請け負うことを思い立った。一九一九（大正八）年に「北澤製作所」は、長男の國男を筆頭に、二男の友喜ら四人の兄弟で始めたという。家族経営の小さな町工場だったのだろう。

この小さな工場が大躍進を遂げていくのだが、その目配せに國男の鋭い感覚が見て取れる。バルブの修理を重ねるうちに、その破損原因が諏訪の寒冷な気候風土にあることに気づく。そこで、寒冷地にも耐えうる「諏訪型」という肉厚で頑丈なバルブを独自開発してしまう。その結果、世界的な需要を生み、北澤製作所は「北澤工業」となり、「東洋バルヴ」へと急成長を遂げたというのだ。

国産品の品質が粗悪であった時代に、なぜ北澤工業が世界レベルの品質のものを作り出せたのか不思議でならない。『諏訪マジカルヒストリーツアー』によれば、鋳物工場に勤めていた二男の友喜が鋳物、三男の元男が旋盤、四男の克男が鋳物の型づくりを担当し、製品や製品を作るための工作機械まで自社で開発してしまうという自己完結型の工場であったという。事業統括にあたった國男でさえ、時計の部品を作る工作機械（時計旋盤）を自前で作る腕を持っていたというから、非常に器用で研究熱心な兄弟であったと言えそうだ。が、それでも当初は不良品ばかりで兄弟喧嘩が絶えなかったというから少し親近感を覚えた（ちなみに國男の長男利男は、東洋バルヴと袂《たもと》を分かち、同じバルブ製造会社のキッツを立ち上げ独立し、後に東洋バルヴを吸収合併している）。ともあれ、國男の確かな嗅覚が次なる一手を生み、技術力がそれを実現してきた。

「己の感性を信じて自らが成す」という気概は、後に國男のもとから巣立って起業していった人々にも受け継がれたのではないだろうか。

百姓と丁稚奉公

三協精機の創業者の一人である山田正彦が、自らを「百姓」と名乗り、百姓であることを忘れることのないよう戒めていたことを思い返すとともに、久々に出会えた「丁稚奉公」

という言葉がなんともゆかしく思えた。諏訪精工舎の礎を築いた山崎久夫も、北澤工業創業者の北澤國男も、一五歳で丁稚奉公に出ている。
「一五歳」というのは、かつての社会ではとても大事な年齢だった。親の庇護からいよいよ脱し、身一つで世間の風に当たらなければならない齢とされてきた。「一五の歳になると村の寄合や講の一員として、一人前として扱われるようになる」と教えてくれたのは、これまでの映画の取材を通して出会った農村の古老たち。商家の息子や農家の次三男であれば男子は丁稚奉公に出て商いの「いろは」を身につけ、女子は女中奉公で行儀見習いをしたという。

祖父母の若い頃には、わが村の近隣でも奉公に出た人が多かったようだ。奉公とは今の社員制度とは違い、行儀見習いや店の下働きから、店の切り盛りの一切を経験し、店を持つに至るまでの修業のようなもので、親元では身につかない社会人としての基礎を仕込んでもらう場でもあったと祖母から聞いている。最初は「小僧」から始まり、約一〇年間は給金をもらえなかった。店の主人に認められると「手代」となり、その後の精進によって「番頭」にまで昇格すると、暖簾《のれん》分けされて店を持てる身分となる。

使用人と奉公人は、店主一家と一つ屋根の下に寝起きを共にすることも多く、文字通り「同じ釜の飯を食う」間柄であり、家族のような絆で結ばれていたようだ。

奉公先で「さきどん」と呼ばれていた山崎久夫は、服部時計店の創始者で店主であった服部金太郎から叱られることもあったといい、直接に触れあう機会があったことをうかがわせる。山崎が、あれほど熱心に服部時計店との関係を保ち、守ろうとしたのも、丁稚奉公という関係性があったからではないだろうか。

また、北澤工業の創始者である北澤國男も紅花商の丁稚をしていた。繭の仲買人に転向してからの彼の機転や商業的な勘どころをはずさない鋭さなどは、丁稚時代に培われたものとされている。

「可愛い子には旅をさせろ」という諺があるけれど、単に旅行させるという意味ではない。旅の語源は「他火」という説もあり「他火にあたる」つまり、「人様の懐に入ってご厄介になる」ことの大切さを説いた言葉だといえる。前近代的な主従関係でもある奉公制度は、決して民主的なものとは言えず、使用人が不当に扱われる場合もあったようだ。奉公先では、厳しい躾《しつけ》やしがらみの中で歯噛みするような思いも重ねただろうが、心に沁み入るような思い出もあっただろうし、机上では身につかない大事なものを存分に吸収する場でもあったろう。たしか、松下電工（現パナソニック）の松下幸之助や本田技研工業の本田宗一郎も丁稚奉公から身を立てたと聞くが、江戸時代から続く丁稚奉公制度は、戦後の義務教育の浸透と入れ替わるように消えた。

今では、誰もが企業に就職するのが当たり前と考え、「仕事」とは会社から与えられるものと思っている。よい企業に入り、よい仕事に就く前提として学校教育や学力の向上を必須のものと考える。が、誰もが一律に学科を学ぶだけでなく、幅広く実践から学んだり、自分自身の感性を磨くような道（よりよき丁稚奉公のようなもの）が現代に即した形で再び開かれることが、多様性を生み、豊かな未来を切り開く土台となるように思う。

日本の近代化は一朝一夕に行われたものでなく、むしろ前近代的なものを存分に身に宿した世代が、現代の礎を築いてきた。「前近代」というものは、封建的、閉鎖的、非科学的……といったマイナスイメージの中に押し込められたまま、戦後はほとんど顧みられることはなかったが、むしろ近現代を生み出したエネルギーの源と見れば、「前近代」にこそこれからの大きなヒントがあるのではないだろうか。

官営

現在の諏訪の産業を辿ると、必ず行き当たる「製糸業」。「製糸」を語る前に白状すると、恥ずかしながら「製糸」と「紡績」の違いすら知らなかった。製糸は蚕《かいこ》の繭を原料として生糸を、紡績は綿や羊毛などを原料として綿糸や羊毛糸を生産するものだそうだ。

幼い頃、「おかいこさま」という言葉をよく耳にした。多摩丘陵には、「桑都《そうと》」と呼ばれた八王子と生糸貿易の拠点であった横浜港を結ぶ「絹の道」が通っており、養蚕に携わる農家も多かった。もちろん我が家も、母の実家も蚕を育てていた。多摩丘陵の村々でも、農家の多くが養蚕に携わっていたが、繭を出荷するより、糸として出す方が高く売れた。そこで、製糸場で工女として働いた経験を持つ女性に工賃を支払い雇ったのだ。我が家にも「糸取り女」と呼ばれる人がいたと聞いている。彼女たちはより品質の高い糸を繰り、それを出荷したと思われる。「糸取り女」は、上州や甲州、信州など製糸が盛んな地域から来た若い女性が多かったようで、村の若い衆との恋愛話なども語り継がれている。「絹の道」は、八王子から甲州、信州と、彼女たちの故郷へと続いている。「糸取り」の技術は、女が身一つで異郷に暮らせるだけの力を与えてくれる財産でもあった。

製糸業といえば「富岡製糸場」を語らぬわけにはいかない。しばし諏訪から遠ざかるが、「富岡製糸場」について理解を深めておくことが、後々の諏訪での展開に生きてくる。

さて、官営富岡製糸場は、製糸業の先進国であったフランスから機械、設備を導入し、産業革命の象徴ともいえる「蒸気機関」を動力とした本格的な近代工業施設だった。ここで改めて驚くのは、明治五（一八七二）年には操業していたという事実だ。明治維新からわずか五年後のことであり、前年に廃藩置県が行われたばかりで、まだ太陰暦で世の中が回っていた。さらに驚くのは、それ以前にすでに洋式機械製糸場があったことだ。廃藩置県前の一八七〇（明治三）年に前橋藩の速水堅曹がスイス人技師ミューラーを招いて藩営前橋製糸所を開き、翌明治四年には三井と並ぶ豪商小野組が東京築地でイタリア式繰糸機《そうしき》を入れて製糸場を開いたというのだ！

製糸業のスタートダッシュの速さに意表を突かれた。黒船来航を機に開国した日本の主力輸出品が生糸と茶葉だったことから、製糸業は外貨獲得、殖産興業の花形として最重要視された。とりわけヨーロッパ全土に蚕の病・微粒子病が蔓延し、壊滅的な被害が出たことによって、日本の生糸輸出のプレゼンスが高まり、生糸の生産性向上が大きな課題となった。

ところが従来型の「座繰《ざぐ》り機」を使った手引き繰糸の生産性の低さと、粗製濫造やごまかしによる信用の低下が大きな問題となり、それらを克服することが維新前夜の急務と考えられるようになっていたようだ。実際、幕末に生糸を商い、莫大な財をなしたと言われる八王子鑓水《やりみず》村の鑓水商人らが活躍した時代には、まだ機械製糸の前段階にあり、糸そのものの品質にもバラつきがあった上に、糸に水を含ませ目方を嵩増するといったごまかしを行う者もいたという。明治新政府が数々の政治的課題を抱えながら逸早く富岡製糸場の建設に踏み切った背景には、さらなる事情も見えてくる。

その頃、明治新政府は、欧米から機械製糸による近代化を迫られており、自力でそれができなければ、外国資本が乗り込むという要求がつきつけられていた。イギリスによるインドの植民地化は、機械製綿織物によって伝統的な綿織物業が壊滅したことによる貧困化に端を発している。ここで外国資本が流入することで経済的な従属関係が生じれば植民地化されかねないと懸念した明治新政府は多額の資金を投入し、自力で大規模な官営製糸場を造る決断を下した。

富岡製糸場は、「官営模範工場」の一つとしてフランス人技師のポール・ブリュナを指導員に招き、金属製のフランス式繰糸機を三〇〇釜も調達した大がかりな工場だった。製糸が盛んなイタリアやフランスでも一工場あたりの金属製繰糸機の最大導入数は一五〇釜であったというから、富岡製糸場がいかに大規模なものであったかがわかる。

製糸場の建設地の選定についてはブリュナを含む欧米人が各地を視察した上で、上州か信州が適地だとする報告をしている。

- 敷地が広く、地元の賛同が得られるところ
- 原材料の繭が供給できるところ
- 空気の乾燥したところ（繭の貯蔵）
- 水利のいいところ
- 蒸気機関の燃料として石炭が確保できるところ

最終的には、石炭（亜炭）の調達が容易な群馬県富岡の地が選ばれたそうだ。新政府が威信をかけた大々的な事業であったにもかかわらず、攘夷思想の名残りもあってか最初のう

ちは「人の生き血をすする」などと噂されたこともあり外国人のもとで働く工女が集まらなかったという。

しかし、生糸産業の必要性や経済性が理解されると、養蚕が盛んだった地元の群馬や近隣の福島、埼玉、信州北部をはじめ、困窮士族の養蚕振興を奨励していた滋賀県彦根や、明治維新の実力者を輩出した山口県萩、大分県中津など全国各地から、華族や士族など良家の子女が派遣されるようになった。このような人々が技術伝習を受け、各地の指導者となったことで富岡製糸場は「模範工場」の役割を十全に果たしたといえる。

しかしながら、あまりにも大がかりな設備に加え、レンガや石材、ガラス、鉄など、当時の日本の民間人にはとても手の届かない高価な材質が使われ、かつ蒸気機関を動力としたために維持管理や修理に莫大な費用がかかり、収益性に乏しかった。富岡で伝習を受けて各地に機械製糸を広めようとした人々も経済的な制約の中で規模を小さくしたり、断念せざるを得ない場合もあったという。まさに富岡製糸場は官営であればこそ実現できた施設であり、操業形態だった。

「諏訪式」

その後、日本の機械製糸の中心地に躍り出たのは諏訪だった。その理由を辿ると一人の諏訪人の姿が浮かび上がってくる。その人の名は三代目武居代次郎。諏訪郡平野村（現岡谷市）で二代前から「糸師」を営む農家であった（農家とは言っても、諏訪高島藩や高遠藩の財政に深く関与するほどの経済力を持った商家的性格を持つ豪農であったようだ）。

諏訪は高冷地ゆえに厳しい冬が長く、田畑の適地も少ない。江戸時代から副業として綿打ちや小倉織などの綿業や、近江商人を介して京都西陣に生糸を送る「登《のぼ》せ糸《いと》」、気候を生かした寒天づくりなどが行われていた。ところが開国を機に機械紡績の安価な綿織物が流通したことから、インド同様に手紡ぎによる綿織物業は急速に衰え、養蚕や生糸の生産に比重が移っていった。全国的に養蚕農家が増え、諏訪地方でも座繰り機を使った小規模な製糸家が現れる中、江戸中期から生糸を扱ってきた「糸師」は、ますます勢いを得ていった。

富岡製糸場の噂を聞きつけた三代目代次郎は、大工らと共に富岡製糸場の技術を忠実に受け継いだ松代《まつしろ》（現長野市松代町）の六工社などに視察に出掛け、なんと三三分の一の低コストで一〇〇釜の機械製糸工場を造ってしまった。その名は「中山社《なかやま》」。九人の発起人が土地や資金を出し合っての事業だったというが、一八七五（明治八）年、富岡製糸場の開設から三年後のことだ。

代次郎たちの「マジカルにしてミラクル」な偉業には、数々の工夫と発想の転換がみられる。まず、レンガや石材、ガラスなど、主に建物に使われた資材は高価で調達がむずかしいため、積極的に木材に置き換え、動力は川に水車をかけ、水力を得ることで、石炭への依存を低めるなどの工夫を凝らした。中山社が画期的であったのは、煮繭《しゃけん》に使う蒸気釜を備えたことといわれる。これも石炭に依らず、薪を焚いた蒸気であったと思われる。

建物に「木」を使うというのは、コスト面だけでなく、日本人の心情としてしっくりくるような気がする。ポール・ブリュナは、富岡製糸場の随所に日本人向けの配慮を施したようだが、建物に関しては「石づくり」の発想から脱することはなかったようだ。

しかし代次郎の功績といえば、なんといっても「諏訪式繰糸機」の発明だろう。これはフランス式繰糸機とイタリア式繰糸機の長所を折衷し、主に木材で組み立てた繰糸機だ。体格の小さい日本人女性が使いやすいコンパクトなつくりになっている。さらに煮繭する繰糸鍋を銅製から陶製に換え、結果的に糸の変色が防がれ、よりツヤのよい生糸がとれるようになった。

ちなみに生糸輸出の最大のライバルであった中国では、富岡製糸場での任期を終えたポール・ブリュナが上海に立ち寄り、「宝昌絲廠」という富岡式の機械製糸場を建て指導にあたったという。当時の中国では、資本家と製糸家は別々の存在で、民間の資本家が欧式の機械製糸工場をそのまま導入し、そこで創業した製糸家が資金難に陥ったことと、熟練工女の育成がうまくいかなかったことで、生糸生産のトップの座を日本に譲り渡すことになったという。富岡製糸場での技術伝習と「諏訪式繰糸機」の発明が、日本の製糸業に活路を開いた。

諏訪式繰糸機（岡谷蚕糸博物館）

「諏訪式繰糸機」は、多条型繰糸機や自動式繰糸機が普及する昭和初期に至るまでの長きにわたって、「普通機」と呼ばれるまでに汎用化され、飛躍的に生糸の生産性を上げる土台を作った。これらの工夫には、諏訪の土地柄を熟知した百姓ならではの発想とともに、「相手」に引き込まれるのではなく、自分たちの足場に根づくものに改めるという、「諏訪式」の自主自立の精神が感じられる。

……ところで私は、大きな勘違いをしていた。一介の百姓と大工が富岡製糸場を見て、いきなり神業のごとく「諏訪式繰糸機」を生み出したかのように思ったのだが、彼らは、既に「糸師」として生糸生産に関わる情報を収集し、大変な試行錯誤を経験していた。彼らの動向は、当時の諏訪の糸師の意識がどれほど鋭敏で、行動力に富んだものかをうかがわせてくれる。一八七二（明治五）年に上諏訪に建てられた深山田《みやまだ》製糸場と関わりのあった代次郎は、そこに据え付けられたイタリア式繰糸機を具《つぶさ》に研究し、座繰り機の改良に既に取り組んでいた。さらに富岡製糸場や富岡を模したとされる松代の六工社にも出向いてフランス式繰糸機との折衷を試み、「諏訪式繰糸機」を生み出したという。この間、深山田製糸場をはじめ、多くの製糸家が設備投資や生糸相場の対応に失敗し、倒産に至ってもいる。これらの民間人の努力があって、機械製糸は全国に広く行きわたっていく。

この三代目武居代次郎は一八三八（天保九）年に生まれ、三〇歳の頃に明治維新を迎えている。

富岡製糸場の建設を決断した渋沢栄一や伊藤博文らとほぼ同世代で、服部時計店を興した服部金太郎より二二歳も年上だ。三七歳で中山社を設立した代次郎の写真が残されている。江戸時代の山村に生まれ育ったとは思えないダンディぶりだ。髪はオールバックで洋装の着くずし方まで板についている。それは、世界への玄関口として開かれた横浜と密接な関係を持った諏訪の先進性を雄弁に物語っているように見える。

信州上一番格

武居代次郎肖像（岡谷蚕糸博物館）

話は飛ぶが、私は大学時代の四年間、横浜中華街の華僑が経営する雑貨店でアルバイトをしていた。同世代の若者の多くは欧米への憧れを強く持っていたが、私はアジアに魅かれ、中国語圏に留学したいと考えていた。今も横浜には生糸を求めて外国商館が建ち並んだ頃の異国情緒が漂うが、横浜に中華街ができたのも生糸の貿易がきっかけだという。日本よりも先に欧米諸国と生糸の貿易を経験していた中国商人は、漢字での筆談を通じて、日本人と欧米人の商談の仲立ちをしたという。中華街は、横浜の居留地に外国商館ができるのと並行して形成されていった。

世界中から商人が集った横浜には、当時の日本の最先端の文化が生まれ、首都・東京以上に活気に満ちた場所であったと思われる。「近代製糸業」は、単に生糸を量産すればよいというのではなく、最大の顧客である欧米消費先の求める需要を知り、また世界の金融市場に通じ、刻々に変わる相場に対応しなければならなかった。つまり「製糸業」に携わる人々は、日本が近代化を遂げていく上で欧米流の文化文明、発想法に対峙しつつ、受容する先鋒を担ったのだ。ここから市場経済つまり金融資本主義に日本中の百姓もダイレクトにつながり、一方で翻弄されていく。

そこで私が思い起こすのは、一八八四（明治一七）年に埼玉県秩父地方で起こった「秩父困民党事件」だ。事件の引き金は一八七七（明治一〇）年に起きた西南戦争の戦費調達のために濫発された不換紙幣によって起きたインフレに対し、大蔵卿松方正義が紙幣整理を行ったことだった。

それまで、日本ではさまざまな紙幣が併用され、偽造も横行していたというが、松方は日本銀行を設立し、日本銀行券に一本化することで信用ある貨幣の発行を実現した。そして官営工場の払い下げなどを行った。この施策は、資本家の独占を許すこととなり、結果として資本家と労働者に分かれ、労働者が大量に生まれる素地となった。その結果として「松方デフレ」と呼ばれる深刻なデフレスパイラルがもたらされ、繭や米など主要農産物価格が急激に下落し、農村の体力は著しく奪われた。さらなる増税により、困窮していた農民たちの怒りは頂点に達し、各地で農民が蜂起した。

秩父事件に参画した人々の多くは、秩父をはじめ、群馬、信州東部で養蚕や製糸に関わる百姓であった。そもそも江戸時代から養蚕地帯として名を馳せてきた秩父一帯は、製糸業に転換してからも潤っていた。富岡製糸場の設立に関わった渋沢栄一や初代場長の尾高《おだか》惇忠《あつただ》のお膝元でもあり、フランスとのつながりが強かった秩父では、フランスの資本によって学校（大宮学校）も建てられた。生糸取引も圧倒的にフランス向けが多かったために一八八二（明治一五）年、リヨン生糸取引所の生糸相場の大暴落の影響をまともに受けてしまった。養蚕農家は生糸の売り上げをあてにして借金をし、設備投資や当面の生活費に充当していたので、生糸の暴落は生活の困窮に直結した。銀行や高利貸はその窮状につけ込み、農民らは膨らみ続ける借金のカタに家や土地も手放さざるを得ない悲惨な状況に追い込まれていった。

この歴史に埋もれている事件から、養蚕や製糸業に関わる百姓がどのように苦しい状況に追い込まれたのかがわかる。近代化以降、養蚕によって産業の担い手となっていた百姓たちだが、松方によるデフレ、緊縮財政により、土地を手放すことになり、彼らは都会に流れていったのだ。風土と深く結びついてきた百姓がこのように土から引き剝がされてしまった。このことの意味は重い。


信州大学名誉教授の嶋崎昭典氏は「製糸は（中略）生糸販売価格の8割が原料繭代で占められる利益の薄い産業であった。そのうえ季節産物の繭を一括購入する大金の購繭資金の殆どは借入金で賄われた。一方出来た生糸の価格は支払った経費に関係なくその時々の相場で決められた。このように製糸業は『生死業』と言われるように先の見えない不安定要素を含んだ産業であった。そのため多くの先輩の倒産を目にし、自らも辛酸を舐めてきた諏訪の製糸家は、犠牲を払ってよい生糸を作り高値で買ってもらうより、屑物を少なくして確実に大目の生糸を手にする『糸歩《いとぶ》増収』の道を選んだ」と論じている。

秩父をはじめ、養蚕製糸で栄えた地域の転落と困窮を見ていた諏訪では、金融市場の変動に対応する知恵として「製糸トラスト」とも言える結社が編み出された。一八七二（明治五）年に、「諏訪式繰糸機」は開発されていたが、さらに、十数名単位ほどの小さな製糸場が結社を組み、それぞれが持ち寄る生糸の規格を揃え、組合員の工場には検査員が巡回するなどして、技術の統一を図った。そうして集まった各家の生糸を大口化して横浜に出荷し、小規模経営のリスクを軽減したのだ。

一八七九（明治一二）年に初代片倉兼太郎、林倉太郎、尾澤金左衛門らが一八社三一一釜の結社・開明社を設立し、さらなる品質管理に取り組み、欧米の絹業界に求められる糸を安定供給し、諏訪製糸業の基盤を築いていく。やがてそれぞれの製糸家の経営基盤が強化され、結社を組む必要がなくなると、片倉兼太郎は開明社から独立し、片倉組を立ち上げた。のちに片倉製糸紡績（現片倉工業）へと発展、世界に冠たる「シルクエンペラー」として、財閥を形成していく。ほどなく生糸市場に常に諏訪製のものが存在するようになったことから、諏訪系の生糸は「信州上一番格」

初代片倉兼太郎（岡谷蚕糸博物館）

という格付けがされるようになる。これは嶋崎氏の言う効率を重視した中級品で、「普通糸」として日本の生糸格付けの基準規格とされたという。

ひと玉の繭が「つなぐ」もの

諏訪の近代製糸業をさらに掘り下げるために訪れた岡谷で、岡谷蚕糸博物館の専門指導員である林久美子さんに出会った。林さんは、「岡谷の製糸業について知りたい」と訪れた見ず知らずの私に資料の提供のみならず、町の案内もしてくださった。町なかに、武居代次郎や片倉組を生んだ「糸都岡谷」の面影を探したが、一見してそれを感じることはできなかった。が、林さんの案内によって、徐々にその面影に近づくことができるようになっていった。それまで金融市場や経済など得意ではない領域に踏みこんで肩に力が入っていた私は、林さんとの出会いによって、緩やかなペースを取り戻していくことができたのだ。

林さんに最初に案内されたのは、意外にも桑の葉を一心不乱に食べる蚕たちだった。白いイモムシが大量に蠢《うごめ》いている姿に一瞬たじろいだが、「桑の葉をやってみます?」と誘っ

優等工女さんの繰糸（岡谷蚕糸博物館）

ていただき、近くに寄って見てみると、なんとも美しく愛らしい姿をしている。

「パラパラと雨が降るような音がするでしょ？」と林さん。

耳を澄ますと、雨音らしき音が聞こえる。それは蚕が桑を食べる音で、諏訪のお年寄りは「蚕時雨《こしぐれ》」と呼んできたそうだ。「素敵でしょう？」と優しいまなざしでつぶやく林さんは、さらに少し黄味がかった蚕を指さし、

「このお蚕は熟蚕《じゅくさん》といって身体が透けてますでしょ？　頭をもたげているからもうすぐ糸を吐きますよ」

と話し終わらぬうちに、その蚕は8の字に頭を振りながら糸を吐きはじめた。その繊細な糸で身を守るように繭を作り始める。

林さんはあらかじめ煮た五玉ほどの繭を湯が張られた洗面器に入れた。箒《ほうき》のようなものでその繭を撫《な》でると、すべての繭からスーッと糸が引き出され、指にかけるだけで一本の糸にまとまる。体長七センチあまりと小指ほどの蚕一頭が吐く糸は、およそ一二〇〇メートルにもなるという。なんとありがたい生き物か！

それは「工業原料」ではなく「命」そのものだった。数々の製糸遺産の残る岡谷で、まず生きている蚕の姿に触れさせてくださった林さん。この体験で私の中で何かが大きく転回した。何よりも「養蚕」の何たるかをまったくわかっていなかったことを思い知ったと同時に、古来、養蚕において女性がより重要な役割を担ってきた理由が瞬時に理解できた。蚕を「おこさま」「おかいこさま」とも呼ぶように、その成長を注意深く見守り、手助けをするのが養蚕という仕事なのだ。私の母も幼い頃から養蚕の手伝いをしてきたというが、家の最も良い場所に蚕棚を作り、成長とともに広がる蚕棚に場所を明け渡し、家人は隅の方で寝起きしたと聞いたことがある。

当然ながら、天然自然の産物である蚕は、その種（卵）や産地、気候条件などによって繭の大きさ、色、糸の太さなどまちまちで、二つと同じものはない。近代製糸業において、その個体差は「ばらつき」とされ、それを均一にすることが「品質管理」であり、市場に

選繭場（岡谷蚕糸博物館）

対応するための大きな課題だった。

蚕は「蚕種」「養蚕」「製糸」のそれぞれの工程で人手にかかり、生糸となる。製糸業は、蚕の生態に人が寄り添う「農的」な側面と、人間の欲求・欲望を原動力とする市場経済に則った「商工業的」側面の二つを持ち合わせている。つまり「自然と人工」という、相反する原理を抱え込む中で「品質管理」という概念が生まれていった。そして諏訪では、それが後の精密機械産業を支える土台ともなったという。

「祈り」と「唄」と「ものがたり」

林久美子さんは、岡谷を支えてきた繭や生糸、製糸の魅力を広く伝える学習活動や出前講座などを行っている。小中学生に向き合うとき、人は蚕の「いのち」をいただいてきたことを真摯に伝えている。それは産業の宿命ではあるが、後ろめたさの向こうに生まれる感謝の気持ちを感じてほしいからだという。

蚕は繭になった時点で、保存のために乾燥され命を落とす。繭の中で成長を続ければ、やがて繭を破って羽化し、糸が取れなくなるからだ。かつての百姓は、暮らしに役立つ存在に感謝しつつ、命を奪わざるを得ないやるせなさを祈りに託し、供養し、ものがたりとして語ってきた。遠い昔から明治・大正・昭和の製糸業の栄えた時代に至るまで、養蚕の盛んな村々では「蚕神」の描か

蚕玉様、駒沢御社宮司社
（岡谷蚕糸博物館）

れた掛け軸の前に集い、神と共に食事をし、語らう「講」を開いて感謝を表してきた。また、村々の道端やお宮の一角のみならず、製糸場でも「蚕玉《こだま》神」の石碑や蚕の供養塔を建て、製糸業に関わる人々が手を合わせてきた。

そして、百姓がきつい労働を慰めるように歌い継いできた「しごと唄」は、製糸場でも歌われ、農村出身の工女の心を支えてきた。さらに興味深いのは、全国に語り継がれてきた「蚕玉様」という物語の存在だ。

村の若い娘が父の留守に飼い馬と結婚を約束し、それを知った父が激怒して飼い馬を殺してしまう。父は馬の皮を剥いで庭に吊るしておくが、皮は娘を巻き上げてどこかへ連れ去ってしまった。二、三日して見つけ出すと、馬と娘は蚕になって糸を吐いていた。蚕は立派な繭を作り、たくさんの糸ができるようになったそうな……。

この筋立ては、『遠野物語』にも収められ、東北地方に伝承されている「おしらさま」の物語と酷似している。また養蚕を描

「養蚕手引艸」女たちの背後に逆さ吊りにされた馬の絵札がかかっている

いた浮世絵にも逆さ吊りにされた白い馬の絵札が描き込まれており、養蚕に携わる人々にとって大事な物語だったことがうかがえる。

風土と身体

製糸業は、「蚕」の質を左右する風土の力に加え、工女の技能など随所に人間の身体性が生かされてきた産業でもあった。しかし、科学技術の進展とともに人の手技《てわざ》は機械作業に置き換わり、身体技能の差は「ばらつき」として克服されるべきものとされ、最も均質で効率のいい全自動《オートメーション》の時代に入っていく。

社会の都市化、グローバル化が進むほど、人はお金でものを買う「消費者」に身を置かざるを得ない。お金への依存度が高まれば、収入を得るために職を得なければならない。ところが、仕事は機械や海外の安い労働力にとって替わられる……。近代化の恩恵を得て、いよいよ人は充実した生き方を求められるはずだったが、実のところ、より強い「不安」に苛《さいな》まれるようになっている。

改めて私は「人が背負う」という言葉の重みを思い起こしている。諏訪で何人もの人から聞いた言葉だ。諏訪から外の世界に出るには、必ず山を越えねばならない。細く険しい峠道を大きな荷物を背負って人が往来する姿が浮かぶ。それは遠い昔から最近まで続いてきた行為だ。それこそ和田峠や八ヶ岳産の黒耀石が日本各地にもたらされた時代から寒天や海苔、繭などの行商はもとより、諏訪精工舎の山崎久夫も、時計や修理用具を入れた風呂敷包みを背負って行商したといい、エプソンOBの堀内義彦さんによれば、昭和四〇年代頃まで、セイコーの高級腕時計を東京の服部時計店に納入する際にも、やはりリュックに詰めて人が背負って行ったという。

最も印象深いのは、諏訪市中洲の「信州風樹文庫」に大事に保管されている古びたリュックにまつわる話だ。「信州風樹文庫」は岩波書店の創業者である岩波茂雄の生まれた中洲にあり、岩波書店の出版物のすべてが寄贈されている市立図書館だ。敗戦から立ち直ろうと懸命だった中洲村の青年たちは、「武力」で荒廃した地域や国を「文化」で復興することを誓い、自ら勉強会を立ち上げた。敗戦の翌年に開いた講演会には、地元出身の国文学者・藤森朋夫を講師に招く。その藤森が放った「ここは岩波書店を生んだ岩波茂雄さんの地元だ。それなのに岩波の本が揃っていないのは誠に残念」という一言に青年たちはハッとした。戦地から帰ったばかりの平林忠章《ただあき》さんは、すぐさま役場や学校に相談に出掛けたが、敗戦直後の行政に本を買う予算などあるはずもなかった。そこで、平林さんは意を決し、仲間の金子功さんと共に東京神田の岩波書店に寄贈の談判をしに出掛ける。頼みの岩波茂雄は前年の終戦の翌年に亡くなっており、彼らを迎えたのは総支配人の小林勇と副支配人の長田幹雄だった。

小林勇からは「岩波茂雄先生の故郷だからといって本がほしいなんてセンチメンタリズムだ。岩波書店はもっと広く本を届ける責任がある」と、けんもほろろに断られてしまった。平林さんの胸に「センチメンタリズム」という言葉が突き刺さった。一旦は帰途についた二人だったが、郷土の仲間の顔を思い浮かべると「このまま帰るわけにはいかない」という強い気持ちが湧いてきた。二人は意を決して、その日の午後に再び岩波書店を訪れる。すると今度は岩波茂雄の次男で店主になったばかりの岩波雄二郎が彼らを迎えた。同年代の雄二郎は青年たちの意に共感し、「文化の種を諏訪にもお分けしたい」と言い、後日、念願の寄贈の約束が諏訪にもたらされた。

そこから、青年たちはリュックを背負い、神田の岩波書店まで本をもらい受けに通うこ

明治初めの中馬による貿易（諏訪市博物館）

とになる。自ら背負ってコツコツと集めていった本の集積によってできた図書館が「信州風樹文庫」なのだ（この経緯は、敗戦の翌年（一九四六〈昭和二一〉年）に実際に岩波書店に交渉に行った平林忠章さんのインタビューを映像に残し、ささらプロの情報誌『そもそも第二号』に掲載している）。

いずれにしても「人が背負う」姿に、諏訪の人たちはひとしおの思いを持っている……という気さえする。そこには「郷愁《ノスタルジー》」や「センチメンタル」の一言で片づけてはならない大切なものが宿っていそうだ。諏訪のものづくりが得意とする「軽くて小さなもの」。そこには「人が背負う」という感覚がDNAに刻まれ、ものづくりに反映されているように思うのだ。

人間の身体に刻まれた感覚が、それぞれ異なる風土の中で培われてきたとすれば興味深い。風土と連動した身体があったことによって、これまでの日本の「ものづくり」は魅力的であり得たのではないだろうか。

武居代次郎の「諏訪式」、北澤國男の「諏訪型」という独創性に富んだ発想には、自分の足場に引き寄せて考える「強い引力」が不可欠だ。引き寄せる力の強さは、「根」の深さに比例する。厳しい風土に向き合ってきた先人の姿こそ、「諏訪人」の本当の強さの秘訣なのではないだろうか。

二つと同じもののない風土に向き合うことが、個性の源泉であり、他者と深くつながる道でもあった。

親の背中

岡谷蚕糸博物館から届いた資料のページをめくる中で、一枚の写真に魅き込まれてしまった。眺めるほどにしみじみと、心に滋養が沁みわたるような気がした。林さんから「諏訪人の心には、蚕の繭から糸をとる母親たちの姿が焼きついているのかもしれません」と聞いたとき、私の脳裏には、はっきりとその写真の光景が浮かんでいた。

岡谷市出身の考古学者で、明治大学学長を務めた戸沢充則さんも、幼い頃を振り返り「私の生家は岡谷の街の中心部にあった〝庶民〟の小さな家であった。（中略）それらの小さな家の多くの台所や裏口の近くの一隅には、座繰りの「糸取り釜」と道具一式が置かれてあって、家いえの主婦である母さんたちが、家事の暇をみつけては釜の前に座り、煮た繭から器用に糸を挽き出し、足でこいで回転する糸車に、細い糸を巻き取っている姿が日常的な光景だった」と記している。

糸をくる小口りうさん
（岡谷蚕糸博物館）

その写真は、戸沢さんが記した「母さん」そのものの姿を写し出している。糸をとる「母さん」の名は、小口りうさん。一九二七（昭和二）年に撮影されたりうさんの姿は、すでに古老の域に達しているが、諏訪人の心に宿る「母の姿」を鮮やかに伝えてくれる。

私の生まれるかなり以前の写真であり、

初めて見る諏訪の光景であるにもかかわらず、不思議なことに遠い日の安らかな記憶とつながりあった。

不動産業に転身し経済的に豊かな暮らしを与えてくれた父だったが、生涯にわたり自らを「百姓」と名乗り、朝から晩まで山や川、田畑に働き続けてきた祖父母の後姿を尊いものとして、誇りにもしていた。そんな祖父母は「寒いところの人にはかなわない」と、しきりに口にしていたことを印象深く覚えている。

多摩丘陵は穏やかな土地柄で、地震以外に深刻な天災の心配はほとんどなく、真冬でも農作物の栽培ができるほど温暖な気候に恵まれている。多少の蓄えを持てる多摩丘陵の農家には東北や信州の若者を年季で雇っている家が多かった。男ならば田畑の力仕事、女であれば家事の手伝いや子守り、養蚕、糸取りなどの手助けをしていたと聞く。この北国から来た若者たちは、祭りの日などにご馳走にありついても「故郷《くに》の親兄弟に申し訳ない」と、贅沢を戒める風があったという。そのように身を粉にして働く人々とりうさん、そして祖父母や母はみな土地に根ざして生きる人だと私には思えるのだ。

第二章

ゴタたちが編んだ出版ネットワーク

――近代人づくり編

第二章は、岩波書店創業者の岩波茂雄をはじめ、島木赤彦、平林たい子、新田次郎、武井武雄……と、私でさえもその名を知る文化人を数多く輩出し「出版王国信州」の骨格を作ったともいえそうな諏訪のもう一つの姿を探る。岩波茂雄と島木赤彦という明治初期に生まれた二人の人物に焦点を当てながら、諏訪の「人づくり」の秘密に迫りたい。

中金子の「茂雄さ」

「茂雄さを悪く言う人はいねぇだよ」

そう言うと、古老は墓の前で手を合わせ、風で倒されたままになっていた卒塔婆を立て直し、愛おしそうにさすった。ここ中金子《なかがねこ》（諏訪市中洲）の小泉寺（岩波茂雄の先祖代々の墓所がある。茂雄の遺骨は鎌倉・東慶寺からの分骨とのこと。ちなみに東慶寺には、生前に親交を結んだ安倍能成《よししげ》、和辻哲郎、西田幾多郎、野上豊一郎・弥生子、そして岩波書店の大番頭・小林勇らが共に墓石を並べている）には岩波書店の創業者・岩波茂雄が眠っている。七〇年以上前にこの世を去った稀代の出版人のことを、まるで身内のように「茂雄さ」と呼んで偲ぶ古老の姿は、私の内なる何かを揺り動かした。

実をいうと、岩波茂雄を慕う人が今も故郷にいるというのは意外だった。予備知識では、農家の長男にもかかわらず、茂雄は先祖伝来の田畑屋敷を売り払い、それを元手に神田神保町に古本屋「岩波書店」を開いたと聞いていた。中学に入るために、初めて上京する際も、親類や集落をあげての猛反対を避けるために母が一計を案じ、人知れず未明に茂雄を東京へ向けて出立させたという。農村出身の私には、村落社会に生きる親類縁者の反対がいかなるものであったか想像に難くない。実際、茂雄の伯父は酔った勢いで刀を振り回し「御先祖の田畑を売るとは何たる罰当たりだ」と大声で怒鳴りちらして茂雄を追い回し、辺りに人だかりができたほどだったという。

一方で、茂雄は地縁血縁が取り巻く前近代的な田舎のしがらみから逃れたかったのではないだろうか……とも思った。そこに、自らの〝根〟を断ち切ろうとした「近代知識人」としてのクールな一面を見ようともしていた。

岩波茂雄（『写真でみる岩波書店80年』）

つまり「故郷を捨てた」のだと思っていた。それだけに、郷里では快く思われていないのではと……と想像していたのだ。

古老の名は伊藤文彦さん。この中金子で生まれ、市の教育委員会に奉職し、今では村の暮らしに身を添わせているという。二〇一五(平成二七)年のこの年、齢八〇になったという文彦さんは、「茂雄さは、中金子のためにうんと尽くしてくれたずら」と、すぐそばを流れる宮川の方を見つめながら感慨深げに語った。茂雄は東京に出てからも、村の行事に顔を出しては、家々への挨拶回りを忘れず、さらには村の暮らしの向上に役立つと思えば、多額の資金の提供も惜しまなかったという。風樹会館(現中金子公民館)と名付けた集会所を建ててくれたのも茂雄だが、とりわけ、集落の生活用水であった宮川が腸チフスにより汚染された時には、安全な水源から水路を引くための莫大な資金を用意してくれたという。清らかな飲み水を確保できた村人は大いに喜び、感謝したのだと言った。

伊藤さんのお話に登場する「茂雄さ」は、良書を世に出し続け「近代日本の知の土壌」を築いた岩波茂雄の見えざる基層を垣間見せてくれた。

ゴタ

岩波茂雄は「ゴタだった」という。「ゴタ」とは、諏訪の言葉で「やんちゃ」あるいは「きかん坊」に近い意味があるらしい。勉強でも何でも、できないことがあると悔し涙を流しながら克服するという努力家であった反面、とにかく負けず嫌いで、級友が先生から褒められて二重丸や三重丸をもらうと、癪にさわってその子の机をひっくり返してしまったり、いたずらを仕掛けては教室に立たされるのが日常茶飯だったという。信州川上村出身の由井英が茂雄の肖像写真を見るなり「確かにゴタっ小僧の面構えだねぇ」と笑みを浮かべたところをみると、「ゴタ」は諏訪地方より広い範囲で通用するようだ。標準語には置き換えられないニュアンスのある〝地ことば〟に出会うと、なんだかうれしいような羨ましいような気持ちになる。

ゴタっ小僧の茂雄は一八八一（明治一四）年に諏訪郡中洲村中金子に生まれた。中洲村は諏訪大社上社本宮《かみしゃほんみや》からほど近く、八ヶ岳から諏訪湖に注ぐ宮川が流れている。遠い昔、諏訪湖の湖底に宮川が運ぶ堆積物によって生まれたという土地は、地味が良く寒冷な諏訪地方には珍しく稲作も盛んな土地柄で、茂雄の家は比較的裕福な農家だったという。家の裏を流れる宮川や諏訪湖で友を連れて泳いだり、村からほど近い守屋山（諏訪大社上社の神体山）や杖突峠《つえつきとうげ》で遊んだり、時にはひとり山に入って三日も帰らず、村中を騒がせたり……。肉親や村人の愛情と諏訪の豊かな風土を養分として、はちきれんばかりの元気を振りまいていたらしい。

上諏訪出身の気象学者で、作家・新田次郎の伯父でもある藤原咲平《ふじはらさくへい》は、幼少期の茂雄について「子供の間では、岩波さんという人はかなり怖れられており、慕われておったのでありマす。眼がくるくるしておりまして、何でも光るもののたとえに〝茂雄さの目玉のようだ〟と言いました」と回想している。

第一章でも触れたように、この頃、諏訪湖の対岸の平野村では、日本の近代産業の流れを大きく変える画期的な出来事が起こっていた。武居代次郎による「諏訪式繰糸機」の発明だ。富岡製糸場をはじめ、繰糸機や設備の多くを西欧からの輸入に依存していた当時、安価で性能も優れた国産の「諏訪式繰糸機」は、瞬く間に全国に普及した。これによって良質の生糸の生産が飛躍的にのび、流通や金融も整備され、製糸業は国家の財政の基盤ともなっていく。

茂雄の母・うたは、下諏訪の製糸家・井上善次郎の妹だというから、茂雄も製糸業の勃興によって、世界の市場に乗り出さんとする諏訪の空気に触れながら育ったと思われる。国際市場に伍してゆく商品を持ち得た日本は、国力を養い、拡大路線に転じ、ついに日清戦争へと突入していく。

こうした時代背景を受けて、ゴタッ小僧・茂雄のエネルギーの矛先は社会に向けられたようだ。中洲高等小学校で出会った教師・金井富三郎から受けた影響は大きかったという。金井先生が当時流行っていた稲垣満次郎『東方策（東方策結論艸案《そうあん》）』のあらすじを語ると、茂雄はロシアやイギリスなどの列強から日本が圧迫されていることに憤慨し、新しい日本を興した明治維新に強い関心を抱き、西郷隆盛や吉田松陰の話を何度も繰り返し聞いては熱烈な信奉者になってしまったという。さらに金井先生の指導で校友会を作って会長に就き、夜ごと有志に呼びかけて学校で勉強会を開いた。ランプの下で演説会や討論会などを催し、仲間に西郷や松陰の志を説いては号令をかけていたというから、岩波が国粋主義を標榜していた杉浦重剛《じゅうごう》が創設した日本中学に入学したいと考える素地はこの頃に作られたといってもよさそうだ。

ちなみに杉浦重剛は、当時の明治政府の盲目的な欧化政策に異を唱え、まず、日本を知り、きちんと噛み砕いた上で西欧文化を吸収すべきと唱えた志賀重昂《しげたか》や三宅雪嶺《せつれい》、井上円了《えんりょう》らと、「政教社」を結成、雑誌『日本人』を発行。これが結果的にナショナリズムを喚起する。いずれにしても、この頃は明治維新から二〇年ほどが経った地点で、政府の急激な欧化に対する反動としてのナショナリズムが高揚した時期でもあった。その雰囲気が諏訪の小学生にまで伝播していたことがわかる。

一四歳で入学した上諏訪の郡立諏訪実科中学校（現諏訪清陵高校）でも、偉人の肖像を掲げて西郷や松陰の伝記を読んで周囲にその志を説いていたという。中学入学の翌年に父・義質《よしもと》が亡くなると、家督を継いで家長になった。よく母を助け、自ら育てた作物を天秤棒で担いで上諏訪の町で売り、その売り上げは母の願い通りに慈善事業にも投じたという。

数ある茂雄の伝記の中でも定本となっている安倍能成の『岩波茂雄伝』によれば、人に奢《おご》るのが大好きで、おやつでも何でも気前よく振る舞い、また公平公正を枉《ま》げなかった少年期の茂雄の性質は、生涯を通して変わらぬものだった。ちなみに伝記を著した安倍能成は、茂雄の一高時代からの親友で、岩波書店の後見人として茂雄を支えた。

後に一高（旧制第一高等学校）の校長、文部大臣、学習院院長などを歴任した安倍能成の〝高い志を枉げない姿勢〟についても逸話がある。

終戦直後、一校に学んでいた経済学者の宇沢弘文は、「（GHQは）一高を占領軍の施設として接収するために来たのです。その時に校長だった安倍能成先生が、その占領軍に対して英語で、『この一高はリベラルアーツの学校である。リベラルアーツとは人類が残してきた芸術、文化、学問のことであり、ここはその偉大な遺産を次の世代に伝える sacred place（聖なる場所）だ。そこを占領などという vulgar（世俗的）な目的のために使わせるわけにはいかない』と言って、追い返したのです。私は深い感銘を受けましてね」

と、その毅然とした態度を素晴らしいと語っている。

後にこうした骨のある友人たちと気脈を通じていく岩波茂雄の誰よりも熱く激しいエネルギーは諏訪盆地には収まらず、上京への夢を募らせていく。

恋札と赤彦

ここで、諏訪出身の「もう一人のゴタ」島木赤彦の話をしておこう。諏訪に通うように

島木赤彦

なって、初めて島木赤彦と〝出会った〟のは、下諏訪の温泉宿だった。真冬の寒い日だったが、高温の源泉を引く下諏訪の湯にひとたび浸かると芯から温まり、いつまでも暖かい。長風呂の由井英が後から合流するなり、脱衣場で「木札の束を見つけた」と言った。その木札の片面には温泉の前に跪《ひざまず》く若い娘とお地蔵さんの焼印が施され、もう片面には和歌のようなものが筆で書かれていた。宿のお女将《かみ》さんが、

「これ、恋札《こいふだ》っていうんですよ」

と教えてくれた。七枚の木札を湯舟に沈め、浮き上がってきた木札が裏と表のどちらを向いているか、その数で恋の行方を占うという。

表の焼印は、下諏訪に伝わる「銕焼《かなやき》地蔵」という古い伝説の一場面を描いたもので、裏面の筆書きは島木赤彦の短歌だった。

「銕焼地蔵」の物語をかいつまんでお伝えすると……、湯屋別当に働く「かね」という信

温泉に浮かべる恋札

心深い娘が、毎日畑に弁当を運ぶ途中、主人に内緒でお地蔵様にお弁当から少しずつお供えを奉げていた。それを告げ口され、主人から折檻を受け、顔に火傷を負った「かね」。お地蔵様にそれを話すと、お地蔵様の額から血が流れ、「かね」の傷はきれいに治ったという。銕焼地蔵が身代わりとなって救ってくれたという〝み仏の霊験〟を伝える説経節だそうだ。

一方、裏面の島木赤彦の短歌はというと、なんと不倫を詠んだ歌が七首。さて、この「恋札占い」、表の「かね」の面が七枚揃えば「吉上」でその恋は成就するといい、裏面の赤彦の短歌が加わるごとに吉が減じ、赤彦の歌が七枚揃うと「凶」で破局を暗示するという。

それでは赤彦があまりに気の毒に思ったが、由井が覚えてきた一首を聞いて、こちらまで切なくなってしまった。

二人して向ひ　苦しく思へりし
　　　　清き心に　かへるすべなく

赤彦は、妻子ある身でありながら閑古《しずこ》こと中原静子という思い人がいた。閑古は赤彦の歌の弟子で、思いを寄せ合っていたという。結局、二人は別れを選ぶ。七枚の恋札には、閑古との恋に苦悩した赤彦の思いが歌われている。道ならぬ恋の歌。宿のお女将さんは「昔、子供に歌の意味を聞かれて困りましたよ」と苦笑い。かつては、下諏訪の温泉街で広く親しまれていた「恋札」も、今ではあまり見かけなくなっているという残念な話も聞いた。

良質の温泉に加え、土地の文化を上手く活かした粋な遊びに、下諏訪温泉の人々の心意気と文化の蓄積を感じた。とにかく、この「恋札」のおかげで下諏訪に親しみが湧き、国語の教科書でアララギ派の歌人としてその名を記憶しているだけだった島木赤彦が、血の通った少し身近な存在に思えたのは大きな収穫だった。

山浦の「ゴタ」

いきなり、悲しく切ない不倫の歌から始まった赤彦との出会い。歌の背景にある赤彦の人生を、終《つい》の棲家「柿蔭《しいん》山房」のある下諏訪の町から辿ってみたいと思い始めた私は、映画の取材を通して知り合った高木保夫さんにお力添えをお願いし、赤彦記念館の三代目館長・宮坂徹さんにお会いすることができた。

銀色に輝く近未来的なシルエットが印象的な赤彦記念館は、正式名称を「下諏訪町立諏訪湖博物館・赤彦記念館」といい、諏訪湖を周回する湖岸通り沿いに建つ。館内に入ると、外観とは対照的な木の温もりに満ちた空間が広がっていた。ちなみに、設計は現代建築の巨匠・伊東豊雄《いとうとよお》氏。下諏訪は伊東氏の父祖の地であり、自身も幼少期を過ごしたという。諏訪湖畔に暮らした幼い頃のイメージを館のフォルムに投影したと書かれたものを読んだ記憶がある。宮坂徹さんは諏訪湖で漁をする舟がモチーフだと教えてくださった。

当時のまま保存されている柿蔭山房

その宮坂徹さんは、開館準備段階から博物館のコンセプトや教育普及活動に情熱を注いでこられた。その宮坂さんの解説を独り占めできるとは、贅沢この上ない。展示ホールには、たくさんの写真や資料が赤彦の生誕から時系列に並べられており、その時々に移り変わる赤彦の風貌が内面の変化を物語っていて興味深い。

のっけから宮坂さんは、「(赤彦は) ゴタでねぇ」と言った。私は「ここにもゴタがいた!」と、心の中で手を打った。

赤彦は一八七六 (明治九) 年、上諏訪村角間《かくま》(現諏訪市元町) に生まれたという。下諏訪の人ではなかったのだ。本名は塚原俊彦、のちに養子に入り久保田姓を名乗る。中洲村の岩波茂雄より五つ年上だ。父の浅茅《あさじ》は諏訪高島藩の元藩士で、維新後は神主や教員勤めの関係で、豊平村《とよひら》（現茅野市豊平）に家族を呼び寄せる。赤彦は物心つく前に豊平村に移っているので、そこが故郷といえるだろう。編笠山から蓼科《たてしな》山まで、八ヶ岳連峰がまさに屏風を広げたように眼前に広がる豊平の雄大な景観は、現代の私たちが見ても心奪われる。これが赤彦の原風景なのだ。

宮坂徹さんは「山浦の人は……」と話し始めた。諏訪では「山浦」という言葉をよく耳にする。これは元来、茅野市の北山、米沢、湖東、豊平辺りを指す言葉で、甲州街道が通る町場から見て、「永明寺山の裏」の地域を指したようだが、今では八ヶ岳西麓に広がる茅野、原村、富士見にかかる一帯を「山浦」と呼ぶこともあるという。

平地が少ない諏訪湖周りに対し、広大な裾野に幾筋も水が湧く「山浦」は耕作地が広がり、農家が多い。宮坂さんの「山浦の人は、田畑に出るにも本を持っていくような人たちでね……」という言葉には深い憧憬が込められているように感じた。つまり、田畑に立つ頑健な身体と、向学の精神を持ち合わせているということだろうか。宿場町、あるいは製糸の町として発展した下諏訪、岡谷、上諏訪の町場の雰囲気とは異なる、素朴な実直さと伸びやかな大きさを「山浦」は湛えている。ここには縄文時代の遺跡も多く、太古から続

川遊びをする子供たち（諏訪市博物館）

く地脈のようなものが人々に宿されているように感じる。

赤彦こと、少年「俊さ」は、この雄大な「山浦」で川魚獲りに飛び回り、その真っ黒な足で人の家に上がり込んでは平然と飯を喰らい、屋根の上を飛び歩き、時に肥溜めに落ちて全身肥まみれになったりしたという。いつも子守りを押しつけられた幼馴染みの小尾喜作は「赤彦には一二ちがいの弟葦穂君（後の諏訪市長）がいた。葦穂君を子守りする時は必ず私を連れ出し、自分は川干しをして、柳川で魚を獲りながら私に〝葦の面倒を見ろ〟と命令していた」と言い、三澤精英は赤彦を「手も足もカラスのやうに真っ黒で、膝から上の着物を着て、歯の欠けた下駄で石を蹴りながら、〝何だこの野郎〟と目をクルクルさせて、厚い唇を突き出す鼻たれ小僧……」と振り返っている。

あまりの悪童ぶりに大人からぶん殴られ、叱り飛ばされることも一度や二度ではなく、とにかく型破りで群を抜いた「ゴタっ小僧」だったらしい。ただし小尾喜作は赤彦を評して「心服はしても、威服や威圧には頭を下げない人でした」とも言っている。「ゴタ」とは、強烈な信念の幼い形での表出なのかもしれない。

赤彦の父・浅茅は学問を愛する誠実な人で「謹厳実直な浅茅先生のところに、俊さのような、えらく乱暴な子ができたもんだ」と村人は不思議がったという。年を経るとその父の手ほどきにより、赤彦は和歌の道に親しむようになり、また、歌道に通じた祖母さよの教えを受け、五歳の時には百人一首をすべて暗誦したといい、身体能力、思考能力ともに優れた人であった。

赤彦は父の背中を見て育ったからか、一四歳の若さで傭教員となり、信州教育の実践者を多く輩出した長野県尋常師範学校（現信州大学）を卒業し、教育者としての頭角を現していく。歌人としてはもちろん、信州の近代教育を牽引する教育者としても腕を振るい、今の教育長にあたる諏訪郡の郡視学にも就いている。

新たな近代教育に情熱を燃やしていた若き教師・久保田俊彦（赤彦）の自信に満ちた姿を物語る武勇伝が残されている。玉川村（現茅野市玉川）村長に乞われて玉川小学校に赴任した教諭・久保田俊彦こと赤彦は、意欲的な改革を行う中で、校長や主席訓導に対して「おめえさんじゃあ玉川はいけねえだから、どこかへ行ってくりょう」と言って、二人の上司を追い出してしまったというのだ。のみならず、赤彦は校長代理をつとめることになる。

雄大な土地に抱かれて、自由奔放に駆け回り、学びも心の感度も深めた赤彦。後に富士見高原が「アララギの聖地」と呼ばれるようになるのは、赤彦がこよなく愛した風土に師・伊藤左千夫《さちお》を招き、アララギ派の同人たちが集うようになったからだという。

そんな暴れ者の赤彦であったが、九歳のときに実母・さいを亡くす。そこから赤彦は大切な女性たちとの身を切られるような別れを、生涯を通じて経験し、「鍛錬道」とも呼ぶ歌道を高め研ぎ澄ませていく。

アララギと岩波書店

さて、岩波茂雄と島木赤彦。二人の「ゴタ」に接点はあったのだろうか。

その疑問は、ある写真が解いてくれた。斎藤茂吉が欧州留学をする際の送別会に二人は同席していたのだ。茂吉といえば、赤彦と並ぶアララギ派の代表的歌人であり、茂雄の学友でもあった。この送別会には平福百穂《ひらふくひゃくすい》、折口信夫《おりくちしのぶ》、中村憲吉、今井邦子、古泉千樫《こいずみちかし》らアララギ派の人々とともに、岩波茂雄の学生時代からの友人で岩波書店のブレーンでもあった安倍能成や、小宮豊隆《こみやとよたか》の姿もある。ちなみに、小宮豊隆は、夏目漱石の小説『三四郎』のモデルとされている。この写真は一九二一（大正一〇）年に撮られているが、遡ること七年前の一九一四（大正三）年から岩波書店が『アララギ』の売捌所（特約店）を引き受け、その後発行所として販売事務の中心となっている。ちょうどこの年、赤彦が『アララギ』の編集を担うために上京しているが、そこに茂雄と赤彦の関係が見えてくるのではないか……と考えた。

久保田家の養子に入り、最愛の妻・うたの支えを得た赤彦は、言文一致の表記の実践、

1921年の斎藤茂吉留学渡欧送別会。中列右から2番目が岩波、
後列右から2番目が島木（『写真でみる岩波書店80年』）

写実主義に基づく図画・つづり方教育の推進など、信州の近代教育を牽引し実績を挙げていく。図画、つづり方は、それまでのお手本の真似ではなく、子供たちの目に映ったまま、感じたままを書かせようという自由教育の実践だった。

一方家庭では、態度が大きい、稼ぎは入れない……と、一向に養子らしいところのない赤彦だったが、妻のうたは文句の一つも言わず、密かに父から援助を受けたり内職をしたりして家計を支えた。その上、給料日前に好きな煙草を我慢している夫に「お前さま、煙草をあがりたいずら」と、それとなく用意したという。後に母親たちが娘を教えるのに「お歌様のまねをしろと言われていた」と、下諏訪に住むアララギ派歌人の今井邦子（茂吉留学渡欧送別会の写真に姿がある）が証言するほど、うたは献身的に赤彦に寄り添い続けた。

「おれは全くしまひにはまゐつてしまつた。真から惚れてしまつた」と、さすがの赤彦もベタ惚れしたようだ。しかし、産後の肥立ちが悪くわずか四年で訪れた愛妻の死。「亡きがらを一夜《ひとよ》抱《いだ》きて寝しこともなほあきたらず永久に思はむ」と、亡き妻を想う歌は、読む者をも胸苦しくさせるほどの深い喪失感が漂う。

久保田家の存続のため、亡き妻の妹・ふしのと再婚するも、そのやるせない心情が赤彦をより深く歌の世界に引き込んでいったようだ。校長として赴任した広丘尋常高等小学校（現塩尻市立広丘小学校）で出会った若き女教諭・中原静子との関係が赤彦の心に大きな葛藤を生む。下諏訪温泉の「恋札」に書かれた歌はこの頃に生まれた。教育者としての手腕が高く評価されていた赤彦だったが、教職を辞して養鶏で生計を立てようと実行に移したこともあるほど歌を主軸とした生き方を念願していた。信州に身を置きながらも、全力で『アララギ』の運営を支えてきたが、師・伊藤左千夫の死に加え、休刊が取り沙汰されると、それを見かねた赤彦は一九一四（大正三）年諏訪郡視学を退職し、単身上京した。

以後、発行責任者として『アララギ』の編集運営の中心的な役割を担うこととなる。茂吉が『赤光』で人気を得たのに続き、赤彦の奮闘により、『アララギ』は歌壇の覇者となり、その主流を占めた。赤彦は『アララギ』再建の資金調達のために、平福百穂画伯の絵の頒布会を開いたり、会員増強を図るなど、さまざまな工夫と努力を試み、経済的な立て直しにも成功した。この大躍進のかげに、新進の有力出版社となった岩波書店の力もあったことは想像に難くない。

一方、一途な愛国心に燃えて村を離れてからの茂雄はといえば、日本中学になんとか入学を果たし、一浪して東京帝国大学（現東京大学）への登竜門・第一高等学校に入る。この間、内村鑑三に出会ったり、浄土真宗大谷派の僧侶・近角常観《ちかずみじょうかん》の求道学舎に通ったり、より精神的なものを希求しつつ煩悶《はんもん》を抱えていく。明治維新による「新しい日本」の夜明けは人々に大いなる希望を抱かせたが、明治中頃には、すでに貧富の格差による労働運動や民衆蜂起が頻発し、内政への不満が噴出する一方、力ずくでアジア諸国へ侵出するなど、急激な近代化によるさまざまな弊害や矛盾が起こっていた。

この頃「人生いかに生くべきか」という「個」の生き方に煩悶する世代が生まれつつあった。実際に当時は立身出世の英雄主義をあからさまにするような人間像は軽蔑され、哲学的な沈思黙考型の人物が評価されるような風があったという。茂雄自身も足尾鉱毒事件に関心を抱き、現地を訪ねるなど、単純な「愛国の情」に自らを収めておけなくなっていた。

そんな中、一九〇三（明治三六）年に一高の学友・藤村操《ふじむらみさお》が「煩悶」を抱え、日光の華厳の滝で投身自殺を図る。日露戦争前夜のことだ。これに大きな衝撃を受けた茂雄は、自らも独り野尻湖に浮かぶ琵琶島（弁天島）で隠遁生活を始める。が、ひと月後、嵐の中を心配して探しにやって来た母・うたの姿に打たれ、日常に戻っていった（赤彦の最愛の妻の名も「うた」であるという偶然……）。留年した茂雄は、二級下の安倍能成と同級となり、終生のつきあいが始まる。浪人や留年が重なり、精神的にも晴れやかとは言い難い高校・大学時代。しかし、この時期の人間関係が、茂雄の飛躍の土台となっていることを考えると、人生とは不思議なものである。

安倍能成

後に安倍能成は藤村操の妹を妻にしているが、安倍能成はじめ阿部次郎、小宮豊隆、中勘助ら「藤村操の死」を共に悼み、心に刻んだ学友たちの信頼はゆるぎのないものだった（ちなみに茂雄が籠もった野尻湖の琵琶島には、後に安倍能成が籠もり、続いて中勘助も籠もって名作『銀の匙』の構想を練ったといわれる）。彼ら同学たちとの親交により、すでに文豪としての名をゆるぎないものとしていた夏目漱石の知遇を得た茂雄は、小説『こころ』の出版を手掛けることとなった。しかも、費用は漱石持ちだという。この経緯の詳細はわからないが、藤村操の英語の教師であった漱石もまた、藤村の死について自責の念を持っていたようであり、岩波に出版を委ねたいと考えたのかもしれない。これにより、漱石門下の寺田寅彦や芥川龍之介らとの親交も広がり、一古本屋だった岩波書店は新進の出版社として頭角を現してゆく。

茂雄と赤彦、この二人の諏訪人の交友を丹念にひもといてみると、互いの人間関係は、信頼をもとに交わり合い、広がっていることがわかる。たとえば赤彦が恩人と慕った平福百穂は、岩波文庫の裏表紙の壺のデザインを手掛けるなど、茂雄とも親交を結んでいる。また、赤彦が校長や主席訓導を追い出し、自ら臨時の校長に就いた玉川小学校の教諭だった橋本福松《ふくまつ》は、後に岩波書店に入店し、独立して古今書院を開いている。さらに、赤彦の親友であり、同じく優れた教育者として知られる諏訪人の伊藤長七や小尾喜作は、岩波もまた全幅の信頼を置いて生涯親交を結んだ。

ちなみに伊藤長七は、茂雄が夜陰に紛れて中洲村を出奔する際に、「男子志を立てて郷関を出づ」と詠んで送り出してくれた友でもあり、岩波母子が学費を支援し続けていたともいわれる。さらに島崎藤村の『破戒』に登場する教師・土屋銀之助のモデルであるともいわれる伊藤長七は、後に後藤新平に教育者としての手腕を買われ、東京府立第五中学校（現東京都立小石川中等教育学校）の初代校長に招かれている。自由教育を掲げ、「男女共教」を説いて女性教員を積極採用したり、詰襟を廃止し、背広にネクタイの制服を導入したり、農村生活を体験する「転地修養隊」も実践し、近隣の理化学研究所との連携で天体観測や気象観測を行うなど、抜きんでた成果を挙げ、期待に応えている。伊藤はまた日本一長いといわれる諏訪清陵高校の校歌の作詞なども手掛けている。この伊藤長七を通じて、あるいは諏訪にいた頃から茂雄と赤彦は親交があったのかもしれない。

『アララギ』を歌壇の雄に育て上げた赤彦だったが、その後、北原白秋や太田水穂など他派の歌人と激しく対立し、作歌の姿勢も厳格さを増した。結果、派内からも多数離反者を出すことになり、懊悩を深める中、昭和の世を見ることなく一九二六（大正一五）年、五〇歳で息を引き取る。闘病を続けた下諏訪の自宅「柿蔭山房」の赤彦の枕頭には、肉親、親戚、知友、門人など四〇名余りが駆けつけ、赤彦を見送ったという。この臨終の様子を斎藤茂吉は『島木赤彦臨終記』に具に記しているが、そこに岩波茂雄の姿もある。

お互い「寄りかかる」のではなく、自立した者同士が力を出し合うという茂雄と赤彦の交わりには、諏訪人の矜持のようなものを感じる。二人は織りなす糸のように交わり合い、当時の日本の知性を代表する文化人をしっかりと巻き込みながら「諏訪人脈」とも呼べる基盤を織り上げている。

同郷の誼

茂雄には赤彦の他にも信頼に足る同郷の友がいた。東京府立第五中学校の校長を務めた伊藤長七をはじめ、気象観測の研究で知られる藤原咲平、国文学者の藤森朋夫、ドイツ文学研究者の茅野蕭々《しょうしょう》、また藤原咲平の同級生で軍人の永田鉄山《てつざん》などとも親交があったようだ。しかし、いずれも「経営」に関する相談相手としては不向きだったらしい。

茂雄が書店を開くにあたり相談に行っているのが、「新宿中村屋」の主人相馬愛蔵《そうまあいぞう》だ。徒手空拳で異郷に立つ者にとって、やはり同郷の先人は最も心安い存在なのだろう。

インドカリーや月餅、中華まんなどで有名な中村屋は、信州安曇野の養蚕事業家であった相馬愛蔵と黒光《こっこう》の筆名で知られる妻・良《りょう》が、一九〇一（明治三四）年に本郷東大正門前でパン屋を始めたのが起こりで、のちに新宿に移転し、本店とする。荻原碌山《ろくざん》（守衛）や高村光太郎、會津八一、中村彝《つね》、中村不折《ふせつ》をはじめ、インド独立運動の志士ラス・ビハリ・ボースやウクライナ出身の盲目の詩人ワシリー・エロシェンコといった芸術家や文化人が国や民族を超えて中村屋に出入りしていた。その様子から、後に「中村屋文化人サロン」と称されたその存在は、時を超えて光を放つ。

岩波茂雄は相馬愛蔵について「私が畏敬する大先輩であり、敬服するのは商売気質に堕せず志業を大成したこと。氏の如く独立独歩自由誠実の大道を闊歩して所信を貫くことは至難である」と記している。愛蔵は世辞を排し、良い商品を廉価で提供することを美徳とし、正価販売を貫きながら成功を収めた。岩波茂雄の古書の正札販売もこれに倣ったものだろう。

こうした「商売気質に堕せず」という事業は、故郷安曇野の私塾「研成義塾」の存在を抜きに語ることはできないだろう。「研成義塾」は、安曇野出身で相馬愛蔵と同級生だった教育者・井口喜源治《いぐちきげんじ》が設立した。井口は長野県中学校松本支校（現松本深志高校）に進学し、英語教師のエルマーを通じてキリスト教の世界に入る。そして井口は明治法律学校（現明治大学）、相馬愛蔵は東京専門学校（現早稲田大学）に進学し、互いに牛込教会で、内村鑑三、巌《いわ》本善治《もとぜんじ》、田口卯吉らと出会いキリスト教への信仰を深めていく。井口は牛込教会との出会いによって教育者の道を進み始めた。

郷里に戻った愛蔵は、一八九一（明治二四）年に東穂高禁酒会を設立し、村の若者に禁酒と勤労、そしてキリスト教を勧めた。後に村に持ち上がった芸妓置屋設置に対する反対運動も展開している。「研成義塾」は東穂高禁酒会の夜学会から発展したもので、井口喜源治の理想の教育の場を育てることに愛蔵も協力を惜しまなかった。研成義塾には内村鑑三もたびたび足を運び、卒業生からは、ジャーナリストの清沢洌《きよし》やワシントン靴店の創業者・東條たかしらを輩出し、渡米した者もいるが、むしろ地域に残って誠実に生きた人々が多い。それというのも、その教育が地道であり、日々の暮らしに根ざしたものであったからだろう。

その後、岩波自身が書店経営に成功すると、やはり郷里から相談に訪れる者が現れた。筑摩書房の創業者・古田晁《あきら》だ。古田は一九〇六（明治三九）年に諏訪の隣り・東筑摩郡筑摩地村（現塩尻市）の裕福な家に生まれた。茂雄より二五歳も年下だ。古田の父はロサンゼルスに日光商会という貿易会社を経営し、東京帝大文学部を卒業後に晁自身も渡米する。帰国後の一九四〇（昭和一五）年、旧制松本中学（現松本深志高校）の同級生・臼井吉見《うすいよしみ》、唐木順三を顧問として東京で筑摩書房を創業。社名は郷里に由来する。

ちなみに安曇野出身の臼井吉見は小説『安曇野』の中で、同郷の先達相馬愛蔵や新宿中村屋をめぐる人間群像について詳しく記している。岩波茂雄が漱石、露伴、芥川、西田幾多郎といった明治・大正期に活躍する作家や学者らとの交友を深め、彼らの本を手掛けたのに対し、古田らは太宰治、井伏鱒二、中野重治、宮本百合子、宇野浩二ら戦中・戦後を中心に活躍した作家を、損得抜きで「そこまでやるか？」と思うほどに親身に支援し、作家も古田の人柄を愛し、「古田のために書く」という人も多かったという。物心両面から古田晁の支えに依っていた太宰治は、玉川上水で最後の心中をする前日、別れを告げるため大宮に古田を訪ねたが、あいに

東大時代の臼井吉見〈左〉と古田晁
（塩尻市立図書館古田晁記念館）

く行き違いで古田は信州の実家に帰っていた。「会えていたら太宰さんは死なんかったかもしれん」と古田は悔やんだという。生家は立派な土蔵とともに記念館として郷里に残されているが、そこに並ぶ古田晁の肖像写真はどれも笑顔で、見るからに鷹揚で人懐こそうな人柄が表れている。

岩波は時折、若手の同郷人を食事に誘っていたようだ。それを岡茂雄の『本屋風情』という本で知った。岡茂雄は信州松本の出身で、民族・民俗学や考古学を中心とした本を扱う「岡書院」や山岳書専門の「梓書房」の創業者。民族学者の岡正雄は実弟である。岡兄弟は宮本常一の師・渋沢敬三と親交があった。ちなみに渋沢敬三は、日本近代資本主義の父・渋沢栄一の嫡孫で、日銀総裁や大蔵大臣を歴任した政財界の重鎮であったが、一方で庶民の暮らしの知恵を掘り起こす民俗学や民族学を自ら研究し、支援した人でもある。岩波茂雄とも親交を結んでいたが、後に戦後処理を託された幣原内閣では、文部大臣の安倍能成と共に入閣し、大蔵大臣を務めた。

岡茂雄は、「古今書院」店主・橋本福松を介して岩波茂雄から会食の誘いを受けたが「面識がないから遠慮する」と何度か断りを入れている。岡茂雄もまた、信州人らしく「人の助けを受けずにやりたい」と思っていたようだ。が、再三の誘いにしぶしぶ顔を出すことにした。「ウマが合った」わけではないようだが、以来、岩波に出版の相談に行くようになった岡茂雄は、助言をもとに家庭向けの国語辞典の刊行を思い立つ。

後に「一家に一冊」というフレーズとともに岩波書店の名を広く庶民に行き渡らせた『広辞苑』は、そもそも岡茂雄が『辞苑』という名の辞書として始めたプロジェクトだった。しかし、岡書院が手掛けるにはあまりに膨大な作業量だったため、岩波書店に移譲を申し入れるも、この時は断られている。渋沢敬三の口利きで博文館に移譲した後も、その補佐はすべて岡が担い、一九三五（昭和一〇）年に『辞苑』は完成、ベストセラーとなる。改訂版の出版を手掛けて間もなく太平洋戦争が勃発。空襲で印刷所が被災したが、万が一にと岡が清刷《きよずり》を五通バックアップしていたことから、岩波書店に引き継がれ、一九五五（昭和三〇）年、『広辞苑』が誕生した。

その他、信州出身の元首相・羽田孜《はたつとむ》の父・武嗣郎《ぶしろう》も岩波の勧めで「羽田書店」を開業するなど、岩波は信州出身の次世代の出版人にも目配せをし、彼の周囲から複数の出版人が育ったことは確かで、信州が「出版王国」と呼ばれるその背骨としての役割も果たした。

百姓とアカデミズム

信州人から一旦離れるが、岩波書店は二〇一三（平成二五）年に創業一〇〇年を迎えた。実は今なお有力出版社として知られる新潮社、講談社、平凡社も相前後して創業し、それぞれの創業者である佐藤義亮《ぎりょう》、野間清治、下中弥三郎《しもなかやさぶろう》もほぼ同世代だ。いずれも苦学の中から身を立てているのだが、岩波茂雄と平凡社の創業者である下中弥三郎は、ともに百姓の家に生まれ、二人とも「伊勢講代参」を経験している。この事実は村落社会の絆の要であり、「農家」と混同されがちな「百姓」の真髄として「講」に着目し、映画作品を作り続けてきた私たちとしては決して見逃すことはできない。

「講」について語り始めると、永遠に終わりそうにないのでまたの機会に譲るとして……。代参とは、集落の「講中《こうじゅう》（メンバー）」から講金を預かり、代表で神社や寺に参拝し、お札をいただいてくる役目のことである。講の代参を任されるということは、集落の一員として信頼された、れっきとした百姓であることを物語る。

下中弥三郎は、一八七八（明治一一）年に丹波焼の陶工の村として知られる立杭《たちくい》（現兵庫県丹波篠山市）の半農半陶の家に生まれた。新潮社の佐藤義亮、講談社の野間清治と同年で茂雄より三歳年上である。下中も茂雄同様に幼くして父を亡くし、母の手で育てられている。その下中は数え年にして一七歳の時（一八八四〈明治一八〉年頃）に伊勢講の代参に立ち、もう一人の村人と大阪経由で伊勢に向かったようだ。

茂雄は、下中が伊勢に向かった二〜三年後の一八九七（明治三〇）年、一六歳の時に、たった一人で伊勢に向かったとされている。茂雄の伊勢までの行程は興味深い。まず甲州街道を歩いて甲府で一泊。そして江戸時代に「下げ米、上げ塩」で賑わった富士川舟運の拠点である鰍沢《かじかざわ》に出た。舟で川を下り東海道に出るルートだ。途中、身延山で一泊し、名古屋から伊勢山田に出て一泊した後、伊勢神宮を参拝。二見浦で「海をはじめて見た」時のことを、湖面穏やかな諏訪湖と違い、天気晴朗なのに波が飛沫を上げて打つ様を「奇態」に思ったと述懐している。

さて、伊勢神宮で無事お役目を果たした後、下中、茂雄の両名とも驚くべき行動に出ている。二人とも村に戻るどころか、そこからさらに足をのばし旅に出た。下中は愛知県の常滑《とこなめ》に向かい、常滑焼の進んだ技術のみならず、組合製品の集荷や流通販売方法、窯の構成などを見聞。立杭に帰って、講の報告会で同業者組合の設立を提案し、一七歳の弥三郎が組合長となる。

もう一方の茂雄はといえば、なんと京へ向かい、信州が生んだ幕末の英雄・佐久間象山の墓に詣で、さらに神戸から船で鹿児島に渡り、西郷南洲（隆盛）の墓詣りをし、琉球へ渡ろうとした。あいにく船が出たばかりで、行く先を熊本に変え、長崎に出たという。そうこうするうちに旅費を使い果たし、広島に中学時代の先生がいることを思い出し、金を借りてようやく帰宅したというのだ。

この「伊勢講」の様子から、一六歳にもなれば、村の大役を任される立派な大人であったことがわかる。また、村を背負って立つ若者に広く世間を見聞させる目的もあり、一旦「講」に出た百姓の多くは、各々の関心に沿ってさらに旅を続けることが多かった。加えて旅すがら、村の暮らしをよりよくするための新たな作物や事業を学び持ち帰ることも期待されていた。そもそも百姓から興った岡谷の製糸家なども「伊勢講」で情報交換をして、原料繭や石炭などの供給先を開拓することもあったと聞く。

下中が郷里の家業の発展を考えていたのと反対に、茂雄はこの百姓の伝統的なならわしを個人の念願を果たす千載一遇のチャンスと捉え、「明治の英雄」を巡礼した。この旅から帰った直後に、茂雄はかねてから憧れていた日本中学の校長・杉浦重剛に熱烈な手紙を書き送り、翌年には村を出奔するような形で日本中学を目指して東京へ向かったと、安倍能成『岩波茂雄伝』は伝えている（その後、信州風樹文庫の岩波弘之さんの手によって『岩波茂雄伝』の記述を覆す資料が発見された。茂雄が代参を勤めた時の伊勢講当番帳が地元関係者から寄せられ、これにより茂雄の代参は一年遅かったことがわかり、茂雄は代参に出かける前に杉浦重剛に手紙を書いていたことが判明した。つまり、すでに村を出奔することを心に決めて代参に手を挙げたことになる）。

この後、下中は独学で教員資格を得て教員生活に入り、教育改革に寄せる思いから出版の道へと歩み出す。片や茂雄は一高から東大選科を経て、やはり女学校の教員を経験している。その後、一九一三（大正二）年に創業した岩波書店は、アカデミズム寄りの色彩の強い出版社として成長する。一方、翌一九一四（大正三）年創業の平凡社は「つねに反アカデミーの立場」をとり、「高度な学術的教養に浴すことのできない一般大衆のために門戸を開放すべき」との下中の意識に基づき、学問教養の大衆化を掲げて出版活動を貫いてきたという。

一高時代の岩波茂雄
（『写真でみる岩波書店80年』）

いずれも「本格的」な百姓であった二人の出版人は、似たような経歴を辿りながら、出版社としての個性は異なるものを確立した。アカデミズムに寄らず、大衆に教育を届けようとした下中の姿勢には、「野良」に生きた百姓の思いが代弁されている。一方で、岩波書店がアカデミズム寄りの出版を手掛けた理由として、茂雄自身が一高、東大選科に進んだことで、親しい学友に当代一流の学者が多いことや、彼らをブレーンとした岩波書店が、そのネットワークから著者を広げていったことが第一に挙げられるだろう。

しかし「それ以上に」といえるほどに、郷里・諏訪の朋輩たちもまた極めて高学歴の者が多い。諏訪からは毎年コンスタントに東大、京大をはじめとした最高学府に多数の学生を送り込んできた。岩波茂雄がアカデミズムに近しいのは、諏訪の百姓そのものが高い向学心を持ち、アカデミズムが身近に感じられたことが根本的な要因ではないだろうか。

江戸の身体　明治の精神

アカデミックな人脈を築いた茂雄だったが、彼が面白いのは、学友の多くが武士や医者、学者の子弟である中にあっても、常に「百姓出身」であることに引け目や負い目を感じている様子がなく、また、同郷ながら武家出身の赤彦や藤原咲平との間にも、江戸時代からの遺風である身分の違いによるわだかまりは感じられない。

神田神保町に店を出すために、親戚の反対を押し切って郷里の田畑屋敷をはじめ、家財の一切を競売にかけた茂雄だったが、母と共に身体を張って営み続けてきた「百姓」の記憶が染み込んだ天秤棒とイワシ籠は買い戻し、生涯持ち続けたといわれている。また、後にミレーの「種をまく人」を岩波書店のシンボルマークのモチーフに選んだのも茂雄だという、「文化の種をまく」という意味が込められているというが、そこには「百姓」の暮らしを尊ぶ姿勢が見てとれる。さらには、同郷の名取和作《なとりわさく》（富士電機初代社長）と「お互いにコエタゴを担いだ者は強いねえ」と語り合ったとも伝わり、この話だけを聞いても、茂雄の「百姓ぶり」はかなりハードだったことがうかがえる。

終生の友・安倍能成は茂雄を「欠点の多い野人」としながらも「やはり稀に見るえらい奴だといふ感じを、死んでから益々強く感じた」と言っている。その根底に「虚偽と駆け引きを嫌う性格」「頑固な道徳的信念」「妥協を許さない直往、それを貫徹する耐久力」「その為に生ずる色々なトラブルに堪えうる強い神経」を蔵していたと述懐し、理屈や常識を振りかざす「青白い学者やインテリを辱めるえらさ」のあることに一目置いている。逆をいえば、当時の一高や東大のインテリには、この茂雄を愛すべき友として敬い、抱きとめる深く柔らかな懐《フトコロ》が備わっていたともいえる。

先に触れた岡茂雄と岩波茂雄の出会いにまつわる逸話は、司馬遼太郎も『街道をゆく』に引用している。司馬は、岡茂雄を些末で狭量な大正文化人的性質（岡は一八九四〈明治二七〉年の生まれだが）の持ち主とする反面、岩波を豪放磊落、ユーモアをもって受け入れられるべき「明治」的な人物として捉えている。高度経済成長期に生まれ育った私でも明治と大正の人では質感が違うことはわかる。少なくとも明治生まれの人は、自分自身あるいは両親を通して風土に呼応し育まれてきた「江戸の身体」を持ちあわせていたことは間違いない。それは「江戸以前」の遥か昔に連なる身体でもある。

明治政府は、欧米を先進的な文明国と捉え、日本も「欧化」することで文明国であることを世界に認めさせようと考えた。そんな彼らにとって「江戸の身体」は非文明的で、むしろ恥ずべきものと考えられるようになった。太陽暦の採用、学制（義務教育）の公布、廃仏毀釈、神社合祀、家父長制の確立、言文一致、標準語、標準時の制定などの政策や運動、あるいは近代芸術の権威化といった流れは、華々しい近代化のかげで「江戸の身体」の解体を進めるものでもあった。実際、邦楽や歌舞伎、戯作といった江戸文化は、学校教育やアカデミズムの表舞台から締め出され、大衆芸能の世界で生き残っていく。しかし、いかに近代化が早かったといっても、戦前までは江戸時代の生活様式や観念は色濃く残されていたのではないだろうか。

我が村を見ても、明治生まれの古老たちには文字が書ける人は多くなかったし、百姓であれば旧暦で暮らす方が合理的であった。庶民の思考が大きく変わった最初の契機は戦争だっただろう。国家の強い圧力は、ゆるやかにつながりあってきた地域共同体の性質を変えてしまった。それでも百姓が健在であるうちは、「江戸の身体」は生き続けていた。岩波茂雄のように明治初期の農村に育った者であれば、その親は確実に江戸時代の生まれであるし、その身体からは風土に深く根差した「江戸」の残り香が強く発せられていたに違いない。

先に「伊勢講」について記したが、明治生まれの我が村の古老たちは、どこへ行くにも歩いて出掛けた。若い頃は雨乞いのために、片道四〇キロはある相州大山に村の若衆のリレー方式によって日帰りで登拝することもあったという。かつての庶民の身体能力の高さ、とりわけ足腰の勁《つよ》さは頼もしいものだった。

岩波茂雄の並外れた健脚ぶりについては数々の「伝説」が残されている。それはまず「山の登り方」に顕著に表れていた。同郷の朋輩・藤原咲平は、

「（岩波さんが）山にでも登りますと、好い所がありますれば、繁みであろうが、崖であろうが、どこまでも行ってしまう。危なくてしようがないという男でありました」

と語り、安倍能成は茂雄の登山の仕方を「直線登降」と記す。普通は急勾配の負担を和らげるために、九十九折《つづらおり》に山道を登るものだが、茂雄はどんなに高い山でも獣道《けものみち》のような険しい場所を直線で登って降りるといい、同伴者は酷い目に遭わされるのだという。『山と渓谷』の著者で、英文学者であり登山家の田部重治《たなべじゅうじ》もその例外ではなく、この山のスペシャリストですら茂雄の登山の激しさに驚き、閉口したという。茂雄の登山の仕方は、そのまま彼の生きざまと重なるが、この恐るべき身体能力は、山々に取り囲まれた故郷・諏訪での暮らしから与えられたものに違いない。「山浦育ち」の赤彦も、体力にかけては劣らぬものがあったかと思われるが、教育者として女子登山に情熱を注いだことが知られ、女人禁制といわれた山に対して、新しい自由な発想を持っていたことがうかがえる。

明治期には（今も変わらず?）、欧米の文化や価値観を積極的に模倣、移入する中で、ありとあらゆる分野で旧来のものを否定・破壊し、新機軸を打ち出す動きが起こった。「登山」

苗場山に登る岩波茂雄〈左〉（『岩波茂雄伝』）

のあり方も大きく変わったものの一つだ。狩猟採集の場であり、祖霊の還る場所であり、また拝み祀る神聖な対象であった山々は、登頂を競う「ピークハンター」あるいは「アルピニスト」の舞台へと変わっていく。「日本アルプス」という呼び方も「欧化」の足跡の一つだろう。ちなみに前出の英文学者で登山家の田部重治は、日本の山々を「アルプス」と呼ぶことに躊躇を示している。この「山」を巡る価値の転換については、新作映画『ものがたりをめぐる物語』（二〇二二年完成予定）の中で語られる大きなテーマなので、詳しくは映画に譲ることにする。

「江戸の身体」、つまり日本列島の風土に育まれた身体に「明治の精神」を載せたハイブリッドな明治人は「和魂洋才」を実現しようと奮闘した。が、欧米の近代国家の思想、学問、技術、仕組みを吸収しながら日本人としてのアイデンティティを保ち続けようとする試みは想像以上に困難だったと思われる。

明治の中頃から大正時代には、すでに、芥川龍之介などの文化人・知識人によって「欧化」が、表層のライフスタイルだけでなく、日本人の無意識の深層世界をも侵食してしまうことを危ぶむ発言が見られる。つまり「接ぎ木」と考えていたものには、「見えざる根」があって、その根によって「在来の根っこ」が侵食されてしまうのではないか、という懸念だ。近代日本の文学や哲学は、生まれながらにその重大な問いを抱えて出発したともいえる。

諏訪人のベクトル

茂雄や赤彦をめぐる信州人や諏訪人の多くはとびきりの高学歴なのだが、信州人に「学者や文化人が多いのはなぜか」と尋ねると、必ず「貧しかったから」という答えが返ってくる。「貧しいから教育に力を入れるんだ」と。しかし、凡庸な成績だった私からすると、「貧しい地域なら他にもあるし、貧しいことと成績は関係あるのか……」と反論したくもなってくる。

ここで第一章を振り返ってみよう。諏訪の製糸業あるいは精密機械産業は、町の女性たちや半農半工のお百姓が支えていたことを……。学問を身に付ける以前に、諏訪人は「なんとかやってみよう」と取り組み始めると「なんとかやり遂げてしまう」のである。この「なんとかやり遂げてしまう」の本当の意味がわかるまでに時間がかかった。つまり、「ど根性」で力に任せてやり遂げるというのではなく、「手を換える」「目先を換える」「考え方を変える」という柔軟な思考と繊細なアプローチ、その上での「やり抜く精神力」にカギがありそうなのだ。それは対象をよく観察することから導き出されてくるものらしい。

諏訪「山浦の百姓」は、田畑に行くにも本を携えていったというけれど、こうした向学心や観察眼の土台は、諏訪の厳しい風土によって培われたものではないだろうか。その寒冷な高地でよりよい収穫を挙げようとすれば、日照、土壌、降雨降雪、霜や積雪などに注意をはらい、作物の種類や種、苗も選ばねばならない。とりわけ冬場は、水は凍るし、地表も凍る。……残念ながらその時点で、温暖でのっぺりとした多摩丘陵出身の私などには、とうてい冬を越せそうにない。実際、岩波茂雄が一高時代に下宿していた東京・田端で、その辺りの百姓のやることを見ては「まるで遊びごとのようだ」と言っていたと安倍能成は伝えている。諏訪で本格的に百姓を経験した者の偽らざる感想だろう。

さらに諏訪人は、すべてが凍てつく冬に「寒さ」を逆手にとった「寒天づくり」などの離れ業も導き出す。温暖な多摩丘陵のように、四季を通じて野良仕事に精を出すといった平面（二次元）的な発想とは違い、どうやら諏訪人は、風土を立体（三次元）的に活用するというまったく別のベクトルを持っているらしい。

与えられた課題を体よく「こなす」ことが「勉強」であり「仕事」だと考えていた私は、このベクトルの違いに愕然とした。自らの発露を持たず、常に人の指図に従う、いわゆる「指示待ち人間」は、諏訪人の対極にあるものなのだ。この「自力で考え工夫する力」こそが、諏訪人の真骨頂だろう。こうした人たちが、さらに高等教育を受けるのは、都会に出て大集団の中で右顧左眄《うこさべん》しながら生きるのではなく、文字通り「独り立ち」するための選択なのではないだろうか。実際に、学者や教育者、出版人、ジャーナリスト、芸術家など、より個人の才覚が求められる仕事に就く人が多い。

一方で暗い時代の反映ともいえるが、信州人には軍属（職業軍人）も多いことを付け加えておく。台湾総督を務めた安東貞美《ていび》を筆頭に陸軍の実力者永田鉄山、海軍中将の中沢佑《たすく》、戦艦大和最後の艦長有賀《あるが》幸作、戦艦武蔵艦長の古村啓蔵や、『硫黄島からの手紙』で一躍有名になった栗林忠道など世に知られた人物も少なくない。

「信州は山国にもかかわらず海軍の軍人が多かった」と語ってくださったのは、宮坂水穂さんだ。一九一二（明治四五）年のお生まれで一〇四歳（二〇一五〈平成二七〉年当時）になる諏訪の名士。上諏訪の味噌蔵「丸高蔵」の現役の相談役も務める。自らも東大卒業後、続けて二回の召集を受け、中国満州・南方と足かけ九年の野戦を経験している。

「海軍に入るものは成績がよかった。みな、食うために軍人になるんだけど……」と言う。陸軍きっての俊英といわれた永田鉄山は、藤原咲平と同級の教養人であったが、派閥抗争で血気にはやる青年将校に斬殺され、それが二・二六事件の引き金となり、東条英機の登場を招いたといわれる。「鉄山ありせば東条英機の出番はなかった」ひいては「太平洋戦争を回避できたかもしれない」という評価もある。

この原稿を書いている間に、台風が相次いで日本列島に上陸し、天気予報で二つの台風が起こす相互作用を「藤原の効果」と言っていた。この「藤原の効果」を提唱したのが藤原咲平だ。中央気象台の第五代台長（現在の気象庁長官）も務めた人だが、積極的に信州人を登用したことから、「信州人至上主義」「気象台の中では信州人の悪口は言えない」と嫉妬や反感を招き、部下に諫められたという逸話がある。「行き過ぎた愛郷心」と私も感じていたが、今は少し違う感想を持っている。

どの地方でも「同郷人」に寄せる親しみというものはあるだろうけれど、咲平は、最良の結果を導き出す信頼に足るパートナーとして、「信州人」という選択を重んじたのだろうと、今は思えている。

安倍能成は岩波茂雄についても「岩波は信州人であり、信州人中でも最も特色のある諏訪人であった。岩波は信州人を批判的に見ているところもあったが、彼自身実に信州人的性格の所有者であり、内心信州人であることを誇りともしていた」と記しており、初期の店員には小林勇や長田幹雄といった信州人を雇い入れた。彼らは茂雄と真っ向から対立することもあったというが、茂雄と異なる個性を発揮して岩波書店を充実させていった。反面、茂雄は権力を笠に着て信のおけない者は、信州人であっても軽蔑し、交わりを持とうとはしなかった。岩波書店のブレーンには信州人ではない安倍能成ら高校、大学時代の畏友を迎え、また信頼できる人物からの「紹介」を至上のものとして人脈を広げていった。

岩波らしい人づきあいについて、岩波書店の大番頭として、茂雄亡き後もその人的ネットワークを守り、広げた小林勇が、自身のエッセイ『彼岸花』に書き留めている。小林は、東大総長を務めた経済学者・矢内原忠雄が書いた「昭和十二年、私が大学を辞職した直後、岩波さんが私の研究室にたずねられて、本当に言い憎そうな、恥しそうな調子の低い声で自分が毎年学問若しくは芸術のために節操を守った人少数に感謝の意を表するために、少しの金を贈ることにしているが、どうかそれを受取ってくれないかということであった」という文章を引き、「岩波が『恥しそう』に贈ったのは金千円であった。彼が自分一人で、その年に自分が心を動かされた人々に、金千円宛を贈ったのだ。この岩波のひそかな行為は、十年近くつづけられていた」と記し、それは岩下壮一、田辺元《はじめ》、山田盛太郎、山本安《やす》英《え》、初代中村吉右衛門、安井曾太郎、清水安三、安井哲子（てつ）、高村光太郎、バチェラー、安部磯雄、木下杢太郎、ニール・ゴルドン・マンロー、内山完造、光田健輔、魯迅未亡人らに贈られたという。信州人に固執するわけではなく、「自ら考え行動する」人物との出会いによって互いを高め合うことを欲した姿が胸に迫る。

茂雄や咲平をはじめ、数々の人材を輩出してきた「諏訪清陵高校」は、孟子の唱えた「自反而縮雖千万人吾往矣（自らをかえりみてなおくんば、千万人といえども吾れ往かん）」を校是として掲げている。これは「自分の行いが正しいと思うなら、たとえ敵が一千万人いようとも自分の道を進め」という意味だという。茂雄も赤彦もまさに「これ」と決めたら、他人の言うことを聞かずに突き進む人だった。

信州人にとって最も確かな宝は、「ベクトルを持った人間」であり、「独り立ち」した人間同士が信頼をもって築き上げる人脈なのだろう。

「勉強すると馬鹿になる」

諏訪人の勤勉さを前にして思えば、私には、幼い頃から座学を軽んじる風があった。実は、ものを書くことを仕事としている今もなお、本を読んだり、机に向かって仕事したりすることを後ろめたく思う自分がいる。すでに誰もが大学進学を目指す「受験戦争」の時代を迎えていたにもかかわらず、母は学生だった私に「勉強すると馬鹿になる」「また本読んでるのかい。そんな暇があったら畑や家を手伝ってくんな」と繰り返し言うのだった。

農村に生まれ、中学生になるまで萱葺き屋根の田舎家で育った私は、幼い頃から畑の草むしり、雑木山のくず（落ち葉）掃き、火燃《ひも》し（たき火）、作物の収穫、井戸の水汲み、竃《へっつい》の火おこし、そして行事や祭事の人寄せの料理などを当たり前のように手伝ってきた。かつての農村では子供もいっぱしの働き手であり、勉強や読書より農作業や家を守る仕事が何より優先されるべきものだった。

方や、村の開発が進み、丘陵地が造成された後に建てられたマンションや建売住宅に越してきたクラスメートたちは「自分の勉強部屋」を持っていた。彼女らは、親から毎日「勉強しなさい」と口うるさく言われることを苦々しく思っていたようだが、萱葺き屋根の大きな家に家族や牛や鶏、ヘビ、ノラ猫など生き物みんなで暮らしていた私は、「自分の部屋」という響きに少し憧れを持った。

「座っていること＝怠けていること」と考えていた母は、齢八五を迎えるまで、実際に食事と針仕事をする以外に座ったところを見たことがない。しかも、暦が身についていたのでカレンダーを見なくても、折々の行事を忘れることなく司り、季節ごとに移り変わる作物を上手に育て、野良しごとに勤しんだ。そんな母の育った時代には「女に学問は要らない」という強い空気が支配していた。その上、授業中に防空壕に逃げ込まなければならなかったような戦時下に学校教育を受けたからか、漢字の読み書きがほとんどできない。その母の代読、代筆を担ってきた私が「もの書き」を志すようになったのは、皮肉な必然ともいえる。

こうした考え方は、少なくとも高度経済成長期までの農村では珍しくはなかったに違いない。第一章の養蚕・製糸業のくだりで登場する秩父困民党事件は、明治政府に農民の窮状を訴え、農民の暮らし向きの改善要求をするための行動であったが、その中に、新政府が導入した学制を三年間遅らせてほしいという要求もあった。それは、高い授業料の繰り延べを願うと同時に、一人前の労働力として家業を支える子供たちを毎日登校させなければならないことに対し、異議を申し立てたものでもあった。

今でこそ、「学校教育は何より大切」という意識は行き渡り、家業を手伝わせるために学校を辞めさせるような親はいない。しかし、明治の初期には全国で公教育制度(学制)への反対運動や打ちこわし、一揆までが起こっていた。

これは近年、パキスタンでイスラム過激派タリバンの襲撃によって勉学の道ばかりか、命さえ狙われたマララ・ユスフザイさんを思い起こさせる。自由な教育が誰にでも等しく行き渡ることが、どれほど尊いことかは言うまでもない。しかし、裏腹に「百姓」というと、貧しくて教育すら受けられない暗い惨めなイメージがあるが、むしろ「学校だけが生きる道ではない」あるいは「会社に勤めるだけが人生ではない」という世界があったことは、もう少し顧みられてもいいのではないか……と思う。母にはその頃の意識が温存され、それは私にも受け渡されている。

「目利き」と風土

能や歌舞伎、文楽などの芸能は、「見巧者《みごうしゃ》」という、優れた眼力を持つ観客によってその芸が高められたと聞く。「目利き」の存在が人を伸ばすとすれば、諏訪人は教育者としても有能だということになる。実際、信州が「教育県」として知られるのは、こうした資質と無縁ではないのかもしれない。

赤彦は信州教育の有能な実践者であったが、実は岩波茂雄も筑摩書房創業者の古田晁も教員の経験を持っている。二人とも非常に熱心な教師で、生徒からずいぶん慕われたようだ。二人に共通しているのは、「無類の人好き」だということだろう。茂雄はとにかく人を歓待するのが好きで、ご馳走を振る舞い、また人のために奔走したという。古田晁もまた、人への投資を惜しまず、面倒見の良さでは人後に落ちない。古田と親交のあった信州出身の中国文学の泰斗・竹内好《よしみ》は「古田その人が求めたのは、本を出版することではなくて、それを介して自分の好きな人間に直接ふれ合うことだったのではないか。あるいは人間を発見することだったのではないか……」と言っている。

二人とも、人との付き合いは「人物本位」で、イデオロギーなどをまったく問題にしなかったという。岩波などは、国粋主義を標榜する杉浦重剛を慕って諏訪を出て、右翼の大物といわれた頭山満との親交を持ちつつ、一方で大内兵衛や吉野源三郎といった左翼的な人々を編集の要職に起用し、マルクスや丸山眞男の本も出版している。筑摩書房の古田晁もまた、記念すべき創業第一回刊行の三作品の中に、プロレタリア作家で当時執筆禁止になっていた中野重治の本を加えた。

右翼であろうが左翼であろうが、「出すべき価値のある」あるいは「本物」と思うものに関しては果敢に出版をした。そのせいで、岩波書店は偏狭な国粋主義を標榜する「原理日本社」から執拗な攻撃を受け、また軍から睨まれて圧力をかけられるなどの苦難も負ったが、それが世人の信頼にもつながった。彼らの判断や行いは、恐らく理知的な思考だけによるものではなく、時代によって移り変わり、消費されゆく価値観とはまったく別次元の大らかなものを感じさせる。

また、真剣に教え子に向き合いつつ、自身も「道」を模索し確立した赤彦には、教育者としての「眼力」を物語るエピソードが残されている。

一八九四（明治二七）年に諏訪郡平野村の富裕な名家・武井家に男児が生まれた。病弱で兄弟のない彼は、いつも「ミト」というまぼろしの妖精と遊び、絵心を豊かに育んだといわれている。跡取り息子が「絵」に夢中になり、困った両親は、当時の諏訪郡視学だった赤彦に相談に行く。すると赤彦は「好きなことをやらせなきゃダメだ」と、逆に父親を説得する。まだ「家」の存続というものが重大な意味を持っていた頃のこと。赤彦の判断は大胆なものだと言わざるを得ない。もし赤彦が両親の側に立ったアドバイスをしていたら、一人の天才童画家の芽は摘まれていたかもしれない。その童画家こそ、武井武雄。「童画」という言葉を創り出した人である。岡谷市には、武雄の作品を展示収蔵しているイルフ童画館がある。「イルフ」は

武井武雄「ラムラム王」
1964年（イルフ童画館）

「ふるい」を逆さに読ませた武雄の造語で、「イルフトイス＝新しいおもちゃ」という風に使ったが、単純でありながら独創的で、その語感や発想の斬新さは、いまだ輝きを失わない。

「目利き」とは、目先の損得勘定や論理的、分析的な思考から生まれるものでなく、心に宿した「風土」に照らして考える力といえるのではないだろうか。

「東京初代」

「東京」が生まれて一五〇年が経った。以来、東京は周囲の農村を呑み込みながら膨張を続け、今なお止む気配はない。

「東京に呑み込まれた村」に生まれ育った私は、消えゆく野山と入れ替わりに他所《よそ》から流れ込んでくる人々と上手く向き合えず、時に排他的な気分を露わにしたり、逆に劣等感に押し潰されそうになったり……と、内なる羅針盤の針がクルクルと定まらず、「自分」を立てる術がわからないという時期が長く続いた。

自ら上京した「東京初代」にとって、「郷土」とは、切っても切れない「根」のある場所だった。中には故郷を嫌って出てきた者もあるだろうけれど、郷土で過ごした遠い日の想い出は、時に切ないほどに胸を締めつけ、大の大人をむせび泣かせるほどの力を持っていたし、それはまた、寄る辺なき都会で生きる大きな原動力でもあった。

岩波茂雄と島木赤彦の生い立ちに触れようと思ったのは、彼らが諏訪の風土をふんだんに宿した初代の「上京者」だからだ。二人の「東京」との関わり方はそれぞれに異なるが、彼らは故郷を恥じる、あるいは地方出身者である自らを貶めるような劣等感は持ち合わせていなかった。その「直《す》ぐなる」存在感は、インテリの友人たちにも一目を置かれ、対等な関係を築く土台となった。

赤彦は、関東大震災で壊滅的な被害を負った東京に立って「文明の中心をなす都会人は、あらゆる人工の便利と快楽とに委託して、庭に一本の樹木なきにも安んじ得るほどに迄《まで》押し進んで」いる、「一体現今の文明は、自然を征服することを知つて自然を尊重することを忘れてゐる」と『アララギ』の震災報告号に記している。

それがいつの頃からか、都会にあって「田舎者」の烙印を押されること、赤裸な自分を晒《さら》すことは謹むべきことになっていった。極私的でネガティブな感情と受け止められかねない「望郷の念」も、各々が小さく丸めて臓腑に収めておくべきものになってしまった。

東京が元気だったのは、まぎれもなく地方が大いなる恩恵を与え続けてきてくれたからに他ならない。水も食糧も人材も……。日本列島の分厚い風土は、「お金」などでは測りようもない資源を、時に無償で供給し続けてきてくれた。

風土を宿し、自らの意志で東京にやって来た「東京初代」。彼らは生まれながらに、誰にも侵《おか》すことのできないオリジナリティの源泉を宿していた。その子、その孫、あるいは四、五世も生まれている今、「故郷」の意味は薄れ、意識が届かなくなりつつある。

維新から一五〇年が経った今、戦後の日本人が「東京」、そして「故郷」ともっと上手くつきあえていたら、東京の姿はずいぶん変わっていたのではないか……と、静かに思う。

第三章

〝空〟なる諏訪湖の求心力

——土地となりわい編

「軸足」を取り戻す旅

はじめて諏訪にやってきたのは東日本大震災の起きた二〇一一年の秋のことだった。当時は津波にくわえ、原発事故によって、故郷を追われた人々のことを思い、おそらく誰もがそうであったように、寄付する以外に何もできない自分がもどかしかった。くわえて海外の友人たちからは「東京近郊も放射能で危ないらしい。早く脱出しろ」と次々にメールが寄せられたことで、自分の生まれ育った土地との関係をこれまで以上に深く考えるようにもなっていた。

第一章と第二章を通して見えてきたのは、古代から外来者と渡りあい、その力をひきよせて、みずからの土地を活かしてきた、あるいは、上京してもなお諏訪の風土をその身に宿す諏訪人の姿だった。

ここで私は、このように土地にしっかりと根をはり、自らのバックボーンを力として生きている人々を「軸足のある人」と定義したいと思う。彼らの姿は、ひるがえって自分自身の土地をかえりみる鏡となった。

東京と横浜という近代日本のダブルエンジンにはさまれた川崎北部の小さな農村は、高度経済成長期に突如として巨大な洗濯機に投げ込まれたかのように、激しい開発の波に洗われ、故郷のなだらかな山は一瞬にして赤裸にされ、切り崩された。

萱葺き屋根の家も畑も竹やぶも、この土地に合った身の丈の暮らしの痕跡のすべてがコンクリートとアスファルトの下に埋もれてしまった。

「東京におつとめする人たちのお家《うち》が建つんだよ」と言われても、次から次へと「なぜ」はとどまることがなかった。「なんで、みんな東京に来ちゃぅの？」「お山が痛いって泣いてるよう、死んじゃうよぅ」……。村社会で育った幼い私にとって、理解ができないことばかり。

村が街に変貌してからも、その疑問から解き放たれることはなかった。が、返ってくる言葉はいつも同じ。「便利になって、きれいな街になって良かったじゃないか」、これには返す言葉がなかった。新しい街の恩恵をあまりあるほど受けていることは、自分自身が一番よくわかっていたから……。

生まれ変わったわが街に移り住んできた人の多くは、「通勤に便利」という理由でやってきた。つまり、この土地を自らの意志で選んだわけではなく「いずれはもっといい所に移りたい」と思っているかもしれない。そんな彼らが住む「コンクリートとアスファルトの上」からは、「旧住民」の私たちが築いてきた地域の文化や暮らしは、目に映ることがなかった。

大多数を占めるようになった彼らの「目に映らない」ということが、旧住民の意識にも大きな影響を与えた。私も含め、旧住民は自分たちの文化を「まったく価値のないもの」「時代遅れの因習」と思い込み重荷に感じ、「できれば手放したい」と考えるようになっていった。

自文化を「過去の遺物」としか見られず、そこに何の価値も見出すことができなければ、それは地に着いた自分の「軸足」を放棄するに等しいことなのではないだろうか。土地に根ざした自分たちの文化や、ものの見方を失い、一方に同化、吸収されることを意味するのではないか。逆説的なようだが、それは文化や価値観の違う人たちと、しっかり向き合い、「違い」をこえて本当の意味でわかり合い、新たな道をひらく可能性を失うことにもなるのだ。手放すべき「因習」と、共有すべき「軸足」のみきわめは難しい。その手がかりは何なのか。

諏訪には、風土と人の営みが交わる諏訪湖と、人が容易には立ち入れない峻厳な山々が人々の暮らしの芯にある。そこではヨソモノであっても土地の暮らしが目に映り、その変化とその意味・意図を解することができるのだ。

縄文の昔から、現代に至るまで諏訪の風土に寄り添いながら、再びゆっくり歩き始めてみよう。

杖突峠

諏訪の土地勘がほぼ身についてきた頃、由井も私も高い所から諏訪の盆地を見渡してみたいと考えていた。これは私たちが共に敬愛する民俗学者の宮本常一が心がけていた「初めて訪れる土地は、まず高台に登ってみる」の受け売りではある。高い所から見ることによって、その土地柄、人々の暮らしぶり、なりわい、人の往来、土地の利用などが見てとれる。特に諏訪は高い山々に囲まれた土地であるから、人の暮らす盆地を一望にできるはずだ。

最初に「杖突峠《つえつきとうげ》」を教えてくださったのは高見俊樹《たかみとしき》さんだった。当時、諏訪市教育委員会次長に就いたばかりの高見さんは、考古学の研究者でもある。高見さんに諏訪のあれこれ、人や場所をご教示いただいたのだった。

杖突峠は、高遠、伊那方面へと通じる国道一五二号線の途上にあるという。諏訪大社上社前宮《まえみや》の脇を通り、上社の神体山・守屋山へ向かう道でもある。曲がりくねった山道を二〇分ほど登った頃、展望台のある峠の茶屋が現れた。どうやら茶屋の屋上らしきところに展望台が設けてある。「茶屋で一服」が礼儀というものだが、あいにく閉まっていたので、そのまま展望台にお邪魔する。

杖突峠からの眺望の、あまりの絶景に声を失った。両眼だけではとても受け止めきれない大パノラマの圧を、呆けた顔でひたすら浴びた。絶景であるばかりでなく、諏訪の土地柄を一望のもとに把握することもできる。一見して、「ただごとではない風土」であることが了解できた。

峠の展望台から眺めてまず目を惹かれるのは、右手、つまり東に座す八ヶ岳連峰だ。諏訪の朝はこの山の端《は》から明ける。その山麓に広がる裾野は「もはや日本の風景ではない」

杖突峠から見た八ヶ岳

と思うほど雄大だ。畑や水田など、広大な耕作地帯と山林、そして山林を切り拓いて新たに造成された別荘地が広がる中に、対照的に井戸尻をはじめ、無数の縄文遺跡も点在している。今も昔も暮らしやすい土地ということか。そして諏訪の名産として知られる寒天づくりもまた、この裾野が続く辺りで繰り広げられている。

展望台の正面には永明寺山が低く横たわり、その奥に車山や霧ヶ峰のなだらかな稜線が西へと続く。美しい高原・霧ヶ峰は多くの観光客に愛されているが、一方で黒耀石の一大産地でもあり、石器時代からの重要な遺跡が見られる。

この山裾の際《きわ》には、霧ヶ峰の伏流水で酒を

仕込む「真澄」「舞姫」「麗人」「本金」「横笛」の五軒の造り酒屋が並び「諏訪五蔵」と呼ばれている。

近代諏訪に物流革命を起こしたJR中央線は盆地を貫くように走り、鉄道の駅を中心に町が形成されているのがわかる。山また山の諏訪に鉄道を敷くのは容易ではなかったという。その鉄路の手前側には「丸髙蔵（神州一味噌）」と「竹屋（タケヤみそ）」という全国区の大きな味噌蔵があり、丸髙蔵の並びには高島城や市役所がある。諏訪湖はその先に見渡せる。湖周の沿道に川魚屋やうなぎ屋が多いのは、諏訪湖の川魚漁が盛んだったことを物語る。諏訪湖のうなぎは、浜松から「暴れ天竜」の異名を持つ天竜川を遡上してきたものだというが、今は、ほとんど獲れないそうだ。

下諏訪には、諏訪大社下社《しもしゃ》と思しき叢林が見える。この辺りから岡谷にかけては近代諏訪を牽引した製糸業や精密機械産業のメッカだった。さらに湖の西の向こうには、高《たか》ボッチ、鉢伏山《はちぶせ》という丸みを帯びた親しげな山々、その奥に白く輝く北アルプスが峻厳な頂をのぞかせ、諏訪湖を起点とする天竜川は伊那方面に南下し遠州灘へと流れ出ている。

ここで高見さんの「かつて諏訪湖はもっと大きかったと思います」という言葉が思い起こされた。四方八方から諏訪湖に流れ込む川が運ぶ土砂が長い年月をかけて堆積し、干拓

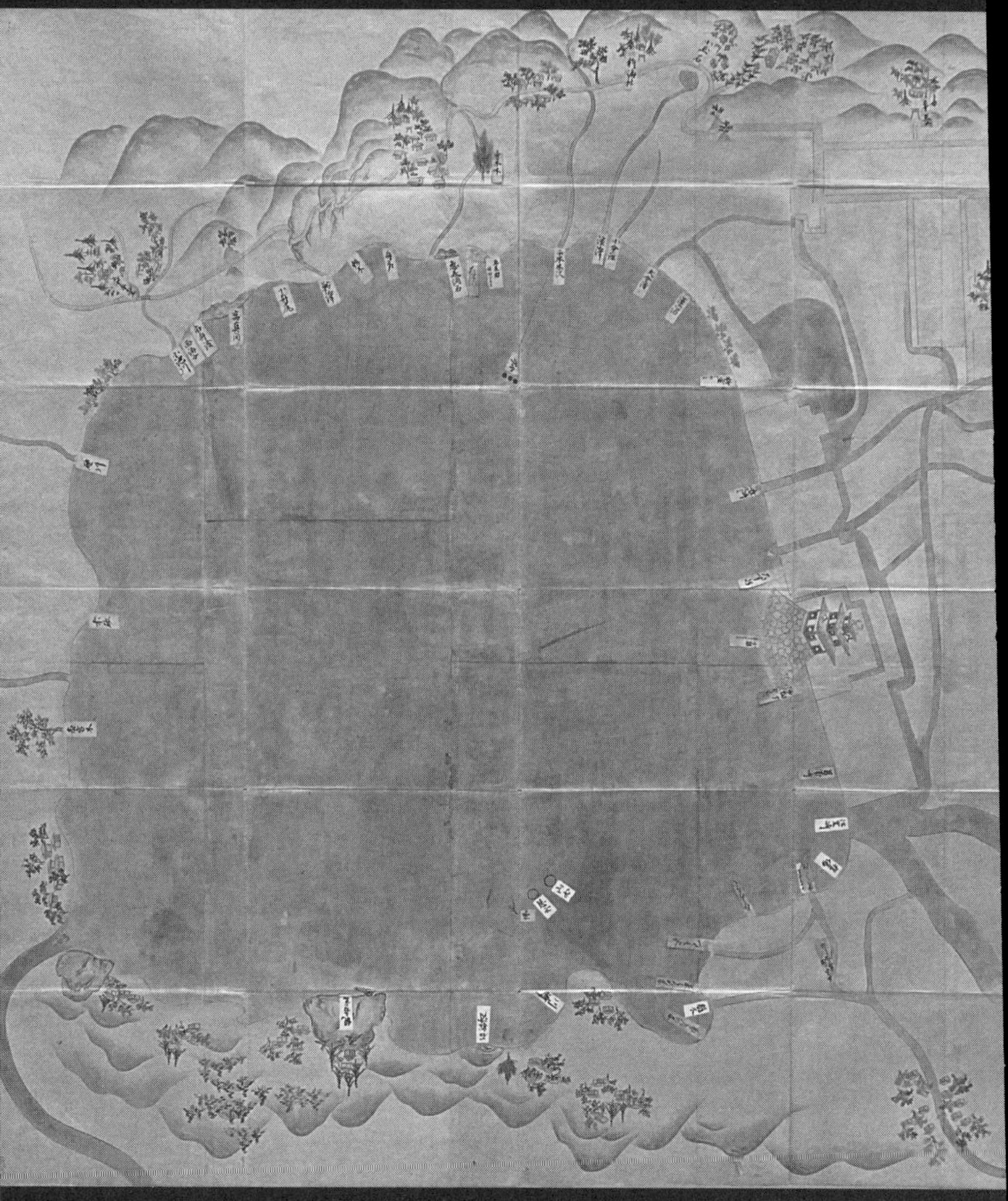

「諏訪湖岸古絵図」（諏訪市博物館、大祝諏方家資料）

も行われたことから、諏訪湖はどんどん小さくなっているという。この峠から見渡すと、確かに茅野あたりから岡谷まで広がる盆地は、諏訪湖だったのだろうと容易に想像できる。それは、岩波茂雄の故郷・中洲村が八ヶ岳に源流を発する宮川沿いの堆積土壌で豊かな水田地帯であったという話とも符合する。

さらに高見さんは「今は諏訪湖から離れてしまった諏訪大社上社本宮や前宮も諏訪湖の畔にあったと思われます」とも言った。上諏訪側の山の中腹に手長神社や足長神社という古社があるが、かつての諏訪湖の水位はその神社の辺りまで上がっていたと考えられるという。

「諏訪湖はよく洪水を起こすんですよ」と高見さん。山々に囲まれた諏訪湖には、大小三〇を超える河川が注ぎ込むのに対して、出口は天竜川の始点となる釜口水門たった一カ所。それで、洪水が起こりやすいのだという。高見さんのご自宅も浸水被害に遭っているというが、ちょっと困ったような笑みを浮かべながら「諏訪湖に戻っちゃうんですよね」と言った。「人間は諏訪湖から土地をお借りして住んでいます」的な慎ましやかな言い方が、諏訪人の風土との向き合い方を表しているようで微笑ましかった。

そして、ここ杖突峠から見た景観に「ただごとではない風土」を直感したのは、後に、ここが日本列島の成り立ちに関わる「中央構造線」と「フォッサマグナ（糸魚川―静岡構造線）」の二大断層が、まさに交わる唯一無二の地点なのだという事実を知った時に腑に落ちた。

　この大地溝帯をフォッサマグナと名付けたのはドイツ人地質学者のナウマンだが、彼が初めてその「尋常ならざる光景」に触れたのは、一八七五（明治八）年に浅間山を訪れた際に、関東山地の古生層を見に美《うつくし》ヶ原《はら》付近にまでやってきた時のことだという。杖突峠の対岸側から赤石山脈（南アルプス）側を眺め、その特異な景観に衝撃を受け、以来、その解明に傾注することになる。

「東日本大震災」を経験した直後の私たちにとって、その重大な事実は少し怖ろしくもあったが、「地下でうごめく〝とてつもないスケール〟のもの」を存分に意識させてくれるのも諏訪の特徴といえるだろう。諏訪湖は断層湖なのだといい、諏訪湖の湖底からは今も温泉が湧き、湖畔には間欠泉が噴出している。面白いことに、上諏訪と下諏訪には温泉街があるが、隣接する同じ諏訪湖畔の岡谷市側には温泉は自然には湧き出さないのだそうだ。それはやはり断層が関係しているという。

　東から西へざっと一望しただけでも、絵巻物を広げるような、いやオールスターキャストの大スペクタクル映画を見せられているかのように劇的なものがある。

そしてこの大景観は、七年に一度、諏訪大社の上下両社の氏子がこぞって魂を込める「御《おん》柱祭《ばしら》」の大舞台でもある。

とてつもなく長大なレンジの話、身の丈の暮らしに至るまで、ありとあらゆる尺度や世界観が混然一体と同居している諏訪。まったく「不可思議」としか言いようがない。

東山道とものがたり

杖突峠からの眺めは見飽きることがなかった。そして、諏訪を読み解く上でのさまざまな暗示も尽きることがない。

不意に由井が「この杖突峠を東山道《とうさんどう》が通ってたんだよね」とつぶやいた。その頃「スマホ」を使い始めた私は、すぐに「けんさく、けんさく、そう東山道。律令時代の五畿七道ってやつ」とおどけた調子で検索すると、由井は真面目に「それは、奈良の京《みやこ》から蝦夷地へ行く道だよね」と返してきた。確かに信州をほぼ縦断し、信濃国府があったとされる上田から上野《こうずけ》、下野《しもつけ》を抜けて出羽、陸奥へと続いている。しかし、道筋は古東山道も含め、一つではないらしい。

「ヤマトタケルの東征の道でもあるでしょ」と由井は続けた。

ここでヤマトタケルが登場したのは決して唐突ではない。ささらプロの初作『オオカミの護符』の取材では、訪れる先々で必ずというほど現れてくる存在だった。彼は、父の景行天皇の命を受け、九州の熊襲《くまそ》、そして山陰の出雲の王に続けて、東国の「まつろわぬ民たち」の平定に旅立つ古代史のヒーローだが、相武《さがむ》（『日本書紀』では駿河）の焼津で土地の神に謀《たばか》られ、原野に連れ出されたところに火を放たれ、妻のオトタチバナヒメともども火焔に巻かれてしまう。その時に、火を払い火道を設けて勢いを止めたのが草薙剣《くさなぎのつるぎ》と伝えられている。また三浦半島の走水《はしりみず》を船で航行中に嵐に遭って愛する妻・オトタチバナヒメを亡くしたり、足柄では土地の神の化身の白鹿と死闘を繰り広げ、はたまた武蔵国では道に迷ったところをオオカミに助けられ……と、艱難辛苦の物語が東国各地に残されている。辿れる限り多摩丘陵内で婚姻を繰り返してきた家系に生まれた私は、心持ちだけは東国の先住民（実際、どこまで遡れるかは謎）なので、ヤマトタケルに対して「侵入者め」という気分がないでもないが、哀調に彩られた物語の力も手伝って、どこか憎めない存在ではある。

ヤマトタケルは実在の人物ではなく、長年にわたり繰り返された東国平定の英雄譚を集約したシンボルとしてイメージされた像ともいわれる。実際に坂上田村麻呂なども東山道を北上して蝦夷地へ向かったというから、この諏訪は東国への入り口としての重要拠点だったのだろう。

この諏訪にヤマトタケルの伝承があるかどうかは不勉強により定かではないが、杖突峠を通ったという伝説はある。『古事記』と『日本書紀』ではずいぶん道筋が異なるが、ヤマトタケルの東征ルートについて、諏訪出身の考古学者・藤森栄一《ふじもりえいいち》は、奈良の京を出て、尾張―相武―焼遣《やいづ》―走水海―新治《にいばり》の筑波―足柄の坂下―甲斐酒折宮《さかおりのみや》―科野之坂―尾張―伊服《いぶ》岐《き》能《の》山《やま》と、『古事記』のルートに従い、「科野之坂（信濃坂）はどこか」と問いを立てている。「甲信境の釜無《かまなし》川渓谷より、富士見高原へのぼるゆるい坂に、信濃坂というのがある。しかし、『日本書紀』によれば、それはひどく深く高く険しい坂である」として、伊那から恵那へ抜ける神坂《みさか》峠が最有力だと言いつつ、地元の有力説として「釜無川をつめた南アルプスの北端、鋸山《のこぎりやま》の鞍部《コル》、伊那谷への最短径路、横岳峠」も挙げている。山に暮らす地元の人々の体感や経験から伝承を引き寄せて考えているのだ。藤森栄一が在野の考古学者として数々の成果を挙げる土台となった「既説に囚われない、自分の頭で考える」というオリジナリティの源泉を見たような気がした。

『日本書紀』では、甲斐酒折宮からなぜか武蔵、上野と大回りをして碓氷《うすい》峠から信州に入っている。これには、畿内政権に服さぬ勢力の中でも、諏訪は特に強大なために、関東や甲州など周りから攻める戦略をとったという話がある一方、越後攻めのために信州を通りかかったヤマトタケルに、翁に身をやつした諏訪明神が強力な弓矢を授けたというような協力関係を匂わせる昔話もある。その弓矢はヤマトタケルのものより、はるかに優れていたという伝承は、当時の諏訪が進んだ文化や技術力を持っていたことの暗示とも受け止められる。

ヤマトタケルの数々の苦闘の物語は、当時の東国各地に、その土地に依拠する有力な豪族がたくさんいたことを物語る。彼らが鹿やオオカミ、あるいは大蛇などの野生動物に仮託されて描かれているところにファンタジーが生まれるのだが、その動物は豪族が何者であったかを知る手がかりでもあるはずだ。

昔話や伝説は、歴史的事実と異なるからといって、決して嘘八百の「作り話」、さらには非科学的な代物として退けられるべきものではない。むしろ、時を越えて受け渡されるべき先人たちの意識のようなものが込められた種子と考えてみてもよい。語り手は夜の寝入りばな、あるいは雨や嵐の日など、シチュエーションを心得て語ることで、聞く者の心を耕し、そっと種子を播いている。

東山道は、畿内勢力と東国の先住の民との攻防が繰り広げられた道でもある。それは、四社を持つ諏訪大社の信仰や、縄文遺跡の謎へとつながるものでもある。今なお、東国的な基層世界と西から東漸してきた文化的要素が諏訪湖の東西に共存し、色濃く残されているのは興味深い。

諏訪人にとっての神話と信仰が、どのように近代科学と交差し、日々の暮らしと結びついているのか。身の丈の「人の暮らし」を見つめ直すために、そろそろ峠を下りるとしよう。

諏訪の導き手

諏訪出身の在野の考古学者・藤森栄一という人の存在を知ったのは、ずいぶん昔のことだ。その出会いを語ると少々前置きが長くなる。

多摩丘陵の萱葺きの百姓家に生まれ育った私は、学校で習う勉強がちっとも自分の関心に響かず、苛立《いらだ》ちすら覚えていた。それでも高校を卒業するまでは、与えられたものを吸収することでしのいでいた。大学に入った頃、父の三番目の弟の條作叔父が、かつて早稲田大学で民俗学調査なるものに参加した時の想い出を語ってくれ、それが宮本常一を知るきっかけとなった。

後に條作叔父は宮本常一の『塩の道』という本を買い与えてくれた。「これは……」と思い、それから宮本常一の文庫本を買って読みあさることになった。乾いた砂に水が染みわたるように一気に心が満たされるのを感じた。時に涙があふれ嗚咽が止まらないほど胸に迫るものがあった。百姓の立場にこれほど寄り添った文章に出会ったのは初めてだった。

藤森栄一（諏訪市博物館）

宮本の文章には、近代化の中で矮小化され、静かに姿を消していった村落社会と、そこに生きた思慮深く懐深き村の古老たちの姿があった。

宮本のその仕事を全面的に支え、導きを与えたのが渋沢敬三だった。第二章にも登場した渋沢は日本の近代資本主義の父と呼ばれる渋沢栄一の嫡孫で、日本銀行総裁や大蔵大臣といった要職を歴任する傍らで（いや、そうした社会的立場の方が〝傍ら〟であったのかもしれない）、自ら民俗学や人類学に傾注し、アチック・ミューゼアムを開いた。そこには宮本常一も所属していた。

由井英が所員として身を置いた民族文化映像研究所（民映研）は、宮本常一に直《じか》に学んだ姫田《ひめだ》忠義《ただよし》、伊藤碩男《みつお》、その友人で映画監督の小泉《こいずみ》修吉《しゅうきち》が興した民間の研究所である。日本列島のみならず、世界の民俗文化を具に記録して製作した貴重な映画やテレビ番組は、一〇〇本をゆうに超える。毎週土曜日、新宿御苑の事務所では、民映研作品の上映会「アチック・フォーラム」が開かれ、足しげくその会に通っていた私は、後に由井とささらプロダクションを設立することとなる。

藤森栄一の名は、民映研所長の姫田忠義から聞き及び、アチック・フォーラムに参加していた友人の大江栄三さんから『古道』という本を借りたのが最初だった。彼は東京の会社でサラリーマンをしていたが、いずれ「百姓」になりたいと夢を語り、東日本大震災の直後、まさに信州から神坂峠を越えた岐阜県恵那の地に「大江自然農園」を開いた。

『古道』は、その序文から魅かれるものがあった。

古道――はげしい郷愁をさそうことばである。

けれど、けものを追い、石器や土器をはこんだ日本のむかしの道は、歩行がとだえると、たちまち、草やヤブにおおわれてしまった。そして、いまではもう、うまくいっても、文献や、古い地図にしか残っていない。

それでも、古道は死んだのではない。瞬間的に消えてしまう道は、次々と新しい生命のなかに受けつがれていて、必要なときは、何百キロでも、えんえんとよみがえってくるのである。

藤森栄一が自身の足で歩き、自らの学びと経験、そして勘をもって読み解いた風土や暮らしについての記述は、宮本常一が歩き、耳を傾けて掘り起こした農山漁村の民俗と重なりあい、補いあって、あやふやだった「日本列島」の輪郭を浮かび上がらせてくれた。そして開発によって消えたかに見えるわが故郷の風景も「死んだのではない」と語りかけてくれるようにさえ思えた。

藤森栄一は、一九一一（明治四四）年に諏訪市で書店を営む家に生まれた。その家の土蔵で諏訪湖底の曽根遺跡から出土した石鏃《せきぞく》で遊んだ記憶が、考古学者を志す初源だったという。藤森の父は、言わば「金にならない考古学」にとり憑《つ》かれることを厳しく戒めたのだろう。親から進学を許されなかった藤森は、ある日父の印鑑を無断で使って諏訪中学（現諏訪清陵高校）に入学した。ここで父に禁じられた「初源の輝き」に指針を与えてくれる教師との幾多の出会いがあり、以後、考古学者の森本六爾《ろくじ》との出会いを得て、本格的に考古学者としての道を歩み出す。

しかし、その道は父が懸念したように、経済的困難、出征、病との闘いと苦難の連続であった。それでもなお、「自分の選んだ道」の探求に突き進む藤森の文章からは、後悔どころかその興奮に満ちた喜びと息遣いが聞こえてくるようだ。

その『古道』の中に登場する由井茂也《しげなり》という人が由井英の親戚だと聞き、その縁《えにし》にも驚いた。由井茂也さんは、川上村出身の在野の考古学者で、日本で最初に細石刃《さいせきじん》を発掘し、藤森栄一賞を受賞している。

『古道』には、諏訪や八ヶ岳の記述が多いにもかかわらず、当時はなぜかまったく諏訪の人だという意識を持ってはいなかった。ところが、知り合いのなかった諏訪で取材を始めるにあたり、藤森栄一の本は導き手となってくれた。

八ヶ岳西南麓

杖突峠を背に国道一五二号線を下りてまっすぐ走ると、茅野の中心街を通り、豊平という場所に出る。第二章でも書いたようにここは島木赤彦こと塚原俊彦が「俊さ」と呼ばれた少年時代、思いっ切り走り回り、「ゴタ」の限りを尽くして心を育んだ舞台でもある。

この豊平を通りかかると、真正面にいきなり大きな山の連なりが横に屏風を広げたように現れる。一瞬幻に囚われたように感じ、それが八ヶ岳だと認識できるまでにしばしの時間が必要だった。それはいつも東側から八ヶ岳を見ていたからだと気がついた。東から見る八ヶ岳は頭がギザギザに割れた単独峰のように見え、やや男性的に映る。一方、目の前に現れた八ヶ岳は見事な連山で、個々の持ち味があり、まるで大きな仏が連座するかのようなふくよかな神々しさがある。東麓の川上村に育った由井は「おれの八ヶ岳と違う……」とつぶやく。山は方角によって表情が変わる。同じ諏訪であっても八ヶ岳の見え方はさまざまで、それぞれに「おれの（わたしの）八ヶ岳」が心に刻まれているのだ。

今回、諏訪を訪れているのは、ここが新作映画『ものがたりをめぐる物語』の重要な舞台だからだ。監督の由井英は、かねてから八ヶ岳山麓に伝わる伝説をモチーフに作品を作りたいと望んでおり、自らの故郷でもある佐久地方に口承されてきた「甲賀三郎伝説」をその題材に選んだ。これは諏訪大社の縁起物語とされ、諏訪市博物館でも紹介されているが、どうやら諏訪の人々には馴染みが薄いらしい。当の諏訪に伝承がなく、八ヶ岳東麓の佐久地方で近頃まで伝承されてきたそうだ。「甲賀三郎」についても、おいおい触れながら諏訪を歩いていくことにしよう。

富士見、原村、茅野の一帯は、諏訪湖を囲む盆地の世界から見て、永明寺山の裏にあたることから「山浦」と呼び習わされているということは前述した。首都圏からやってくる者からすると「リゾート地」のイメージが強いが、諏訪の中では一大農業振興地域にあたる。

全国一の収量を誇るセルリー(セロリ)、そしてキャベツは、東麓のレタスとともに八ヶ岳高原野菜を代表する作物だ。ところが、標高一〇〇〇メートルに達する高地であるにもかかわらず、至る所に水田を見かける。戦後、寒冷地用の品種が広まってからのことかと思いきや、江戸時代には、すでにこの地でも水田耕作が行われていたようだ。ここには「繰《くり》越堰《こしぜき》（汐）」と呼ばれる灌漑用水路がある。

以前、千葉県佐倉市にある国立歴史民俗博物館（歴博）を訪れたときに、西谷大《にしたにまさる》教授（現館長）に、八ヶ岳西南麓に施された「繰越堰」についての話は聞いていた。

「あの落差から水を落とす技術には驚きましたよ」と熱のこもった話しぶりに、諏訪の話題で互いに気持ちが近づいたような気がした。だがまだ実物を見たことはなかった。

その頃、西谷教授は歴博の近隣の千葉県君津市の小櫃《おびつ》川沿いの丘陵地帯に施された「二《に》五穴《ごあな》」という大変珍しい灌漑用水路の調査研究をしておられ、ご案内いただいたことがある。それは丘陵地に幅二尺×高さ五尺（約六〇センチ×一五〇センチ）の長い穴をトンネル状に掘り抜き、そこに小櫃川から取水して田に水を行き渡らせるものだ。取水には、なんとサイフォンの原理も使われていた。江戸時代の終わり頃に造られ始め、今なお現役で使われている。

「二五穴」は一カ所につき五〇〜七〇〇メートルもの穴を丘陵地にぶち抜き、全長一〇キロメートルにも及ぶトンネル水路。それは見るからに気が遠くなりそうな普請だった。しかもその資金は村の発起人が出し合い、藩に上納したものだという。地元のみなさんは、「先人の苦労を思えば一粒の米も無駄にできやしない。本当にありがたいことです」と亡き祖先の偉業に感謝の念を持ち続け、今も補修したり土砂を浚《さら》うなど定期的な手入れを行っている。

わが故郷に流れる多摩川は、江戸幕府天領で江戸市中の近郊農村地帯でもあったことから、新田開発も盛んで灌漑工事は早く進んだ。徳川家康の江戸入府から間もない一五九七（慶長二）年に、徳川家用水奉行の小泉次大夫《じだゆう》が普請を手掛け、東京都側の「六郷用水」、対岸の川崎市側には「二ヶ領用水」の開削が始まる。その後、多摩川河畔で穫れた「稲毛米」は献上米とされたほどの品質を誇った。次いで一六五三（承応二）年には、「知恵伊豆」の呼び名で知られた川越藩主松平信綱が玉川兄弟に命じて「玉川上水」の開削に着手している。いずれも難工事であったというが、こうした各地の用水路の成り立ちを知るだに水田耕作にかける日本人の強烈な執念ともいうべき思いを感じていた。

「八ヶ岳西南麓の繰越堰（汐）」のことを思い出したのは、いつもと違う宿に泊まったことがきっかけだった。ロケや移動の関係上、上諏訪に宿をとることが多かったが、花火大会や行楽シーズンになると予約がとりづらく、その日は茅野の「ホテル尖石《とがりいし》」に泊まることにした。コンパクトで小綺麗な宿は、もともとご主人の堀内幸春さんのご両親が営んでいた宿屋をきれいに改装し、ホテルとして開業したものだという。サラリーマンだった堀内さんは、早期退職をしてご自身の道を歩み始められたばかりであった。堀内さんは私が茅野の土地柄について調べているというと、お母様にいろいろ聞いてくださり、『やまうら風土記』という一冊の本をお送りくださった。

著者の湯田坂正一さんは茅野に生まれ、もっぱら農業指導に従事してこられた方のようだ。本来ならば、土地のお百姓を訪ねてじっくりお話を聞いて回りたいというのが本音だが、今回は映画のロケが本筋なので、そういうわけにもいかない。地元ならではの本との出会いはありがたい。

繰越汐

『やまうら風土記』には、一九三六（昭和一一）年生まれの著者・湯田坂正一さんが幼い頃から体験してきた、この地の生活文化が平易な文章で記録されており、特に農業の専門家として指導員を歴任された著者ゆえに、お百姓の暮らしのあれこれが記されている。

そこには、かつて西谷大教授から聞いた繰越堰についての記述もあった。それは江戸後期一七八五（天明五）年に坂本養川《ようせん》という人が高島藩の許可を得て始めた新田開発の肝となる事業だった。この地域では「堰《せき》」ではなく「汐《せぎ》」と呼び、疎水を指す言葉であることもわかった。

八ヶ岳西南麓には至る所に水が湧き、幾筋もの川が流れ出ている。富士見町の井戸尻、藤内《とうない》、原村の阿久《あきゅう》、茅野の尖石をはじめ、この山浦に日本有数の縄文集落が栄えた大きな理由の一つには、人の暮らしに欠かせない水の存在があったのだろう。およそ一万年ともいわれるほど長きにわたり、山の恵みを豊かに活かし、狩猟採集や栽培をしていたであろう彼らの暮らしは、やがてふっつりと途絶えてしまう。この間に大きな気候変動が起き、寒冷化したとも言われている。その後、水田稲作をする人々が西の方から現れた。恐らく標高の高いこの土地では、それほど大規模には展開できなかったのではないだろうか。そして中世以降は武士の駆る馬を養う牧《まき》として利用されてきたという。山浦に本格的な水田が拓かれるのは、近世に入ってからのことだ。

豊富な湧水から幾筋もの川が流れ出る八ヶ岳西南麓も、ポンプなどの汲み上げ技術がなかった昔は、河川から直接に水が引けず、田に水を巡らすためには、きめ細かな水路が必要だった。

日本の水田といえば、だだっ広い平野に広がる田園風景を思い浮かべるが、平地の水田は近世の新田開発によるもので、水利技術の向上がもたらした成果なのだ。山の高低差を利用して湧水や沢の水を引き込む谷戸《やとだ》田や棚田《たなだ》といった小さくて不規則な形の田んぼの方が古い。多摩丘陵で慣れ親しんできた谷戸田も中世の頃まで、その歴史が遡れるという。

八ヶ岳西南麓は、標高差もあるので、水回りには困らなかったのかと思いきや、川からの取水、分配が偏っていたせいで熾烈《しれつ》な水争いも絶えず、特に勾配のなだらかな山麓西南部は新田開発に資する土地がありながら、水利がないために原野のまま置かれていたという。折しも、浅間山の大噴火に端を発した天明の飢饉は諏訪をも襲い、養川の大計画を藩に認めさせる結果となった。

坂本養川は「水廻し計画絵図」を残しているが、それを見ると仕事の全貌が理解できる。川と川をバイパス（疎水）でつなぎ、川の水を山麓一帯で利用できるように細かな流路網を作った。それは多摩川のような平地ではなく、標高一五〇〇メートルを超える高原地帯から急勾配を制御しながら水を送るという荒業なのだ。

最初に手掛けた滝の湯汐は、北八ヶ岳を源流として最も北（高い所）を流れる滝ノ湯川とその南に下がった所を流れる渋川を言わば縦に水路でつないで集水し、落差のある場所には乙女滝などの滝を作って落とし、自然の川との交差を掛樋《かけひ》で渡し、再度取水して下流へ用水を導くなどしたため、これを繰越汐と呼んだ。

特に、渋川は酸性が強く水田耕作には不向きなため、汐と交差させ他の川からの水と混ぜて薄めることで下流での耕作が可能になったともいう。

この水利灌漑には測量が大きな意味を持った。滝の湯汐の測量はまだ雪の残る早春三月に村人の協力を得て夜通しで行われたという。村人は高張提灯を持ち、養川は対岸の杖突峠から提灯の明かりを頼りに汐の高低や方角を決め、汐筋の杭打ちを進めたという。滝の湯汐の測量はわずか一〇日間で終了したというから、養川と村人の意気込みの凄まじさを感じる。こうして滝の湯汐、大河原汐など山浦地区に一六条もの汐筋を引き、新たに拓かれた新田によって米の収量は二倍近くになるほどの増収を見たという。石高が経済力の指標だった時代、食糧であり、貨幣同様の価値を持つ米の増収につながる新田開発の基盤となる灌漑事業は命を懸けても為すべき悲願だったのだ。

養川の時代の汐の開削については、現在、長野県のホームページから航空写真がＰＤＦで見られ、全貌が確認できるようになっている。

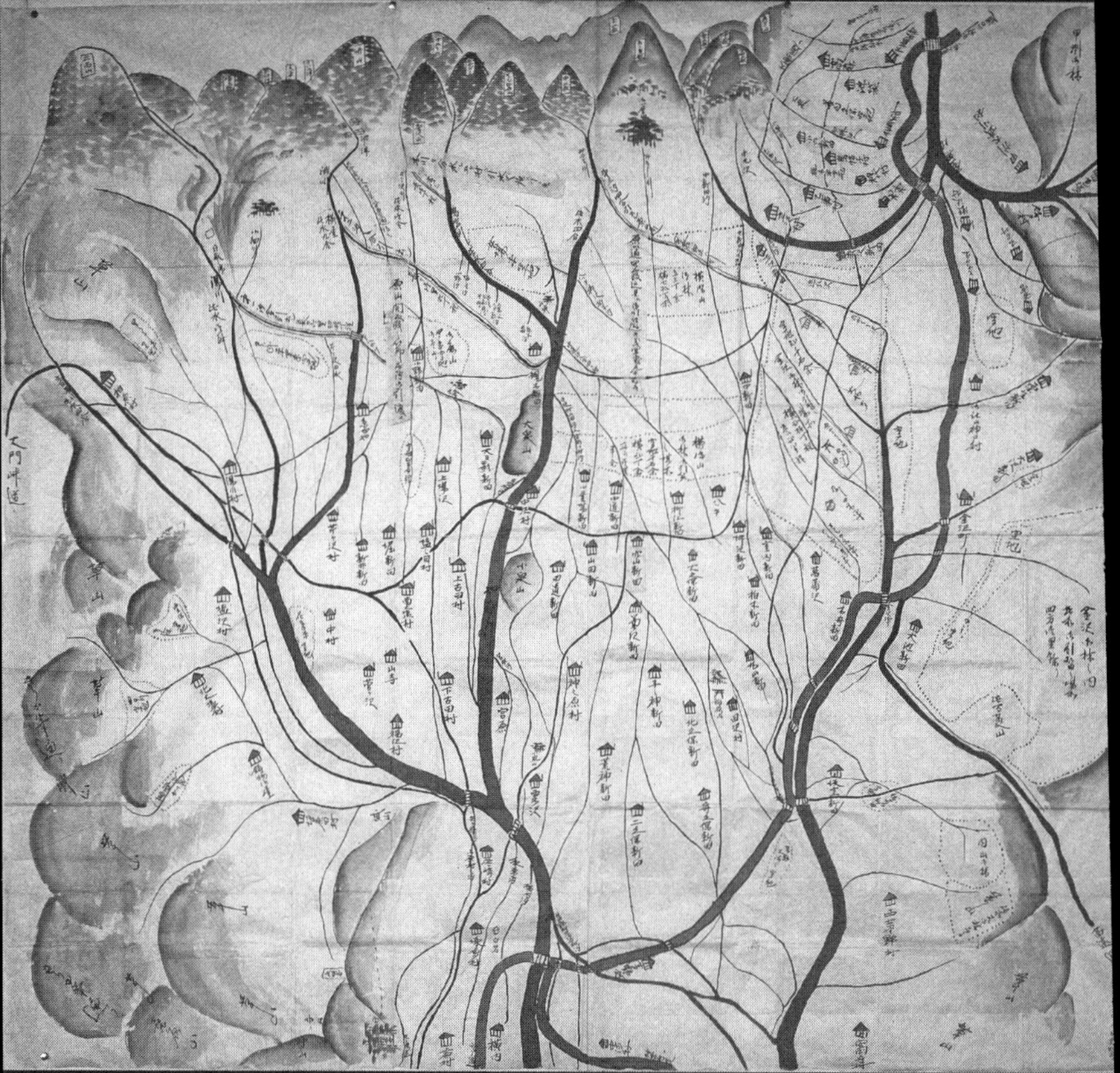

茅野市有形文化財「坂本養川の水廻し計画絵図」
槻木区所有（『槻木区史』から転載）

養川の仕事でとりわけ感心するのは、「芝湛《しばた》たえ」と呼ばれる滝の湯汐の取水口の仕掛けだ。川を堰き止める資材に木、枝葉、石などの天然の素材を使うことで意図的に漏水させ、下流の水が涸れないように配慮しているという。

ところで、富士見町には坂本養川に先立つ元禄時代に、新汐の開削を指導したとされる斎木浅右衛門という人がいる。この人は甲斐武田氏滅亡後に浪人として流れ来た人だという、坂本養川もまた甲斐武田氏の家臣の流れを汲む家の出身だ。甲州との境に位置する山浦地区には、甲斐武田氏に連なるルーツを持つ家も少なくないという。武田氏は治水や土木に優れていたというが、そのDNAによるものなのだろうか。

千葉県君津の二五穴も、この八ヶ岳西南麓に巡らされた繰越汐も、人間の力によって建設されたものだが、いずれも風土に馴染んだ姿をしている。飢饉や水争いといった人間の不和を解消し、利便に資するのみならず、風土とも調和する秘訣はどこにあるのだろうか。いずれも人が天然に与えられた人力《じんりき》と、それを補う素朴な道具によって成し遂げられた仕事であることは心に刻んでおきたい。さらには、後世の人々が先人の苦労に思いを致し、深い感謝を持ち続け、今なお自発的に修復を行っていることに打たれる。

汐を巡らせ拓いた水田は、秋になれば稲を刈り、凍てつく冬を迎える。温暖な多摩丘陵の田んぼでは、裏作に麦や菜種を植えたり、一面に緑肥となるレンゲを生やしたものだが、茅野の田んぼは、寒天づくりの「庭」となる。八ヶ岳の裾野の大地一面に寒天が並ぶ様は壮観だ。

半日村と天屋衆

寒天づくりに携わる人々のことを「天屋衆《てんやしょう》」と呼ぶという。元々はお百姓の冬仕事だったが、明治時代に中央線が敷かれると、需要が格段に伸びて加工を本業とする「天屋」が独立し、最盛期には一〇〇を超える加工場があったという。加工場は、守屋山の北麓（諏訪大社前宮から本宮の一帯）から八ヶ岳西麓の山浦地域に点在している。

この立地について伊那宮田村の民俗学者・向山雅重《むかいやままさしげ》は「降雪少く晴れた日は多いが、寒さきびしく、冬の陽ざしが南の山なみの陰を早くひいて『半日村』となるきびしい風土」と言っている。確かに、南に赤石山脈（南アルプス）が聳《そび》えるこの辺りは、日の暮れるのが早い。冬はとりわけ農業には不向きな土地だっただろう。

寒天は江戸時代、京都伏見の宿主・美濃屋太郎左衛門が生み出し、隠元禅師が命名したとされ、諏訪に寒天づくりが伝わったのは天保初年（一八三〇年）ごろといわれる。当時、需要のあった諏訪小倉織の行商で京都へ出稼ぎに出ていた穴山村（現茅野市玉川）の小林粂左衛門《くめざえもん》が、寒天製法を持ち帰り普及させたという。茅野玉川には、小林粂左衛門の功績を讃え、後世に伝えるための石碑が建てられている。

今のようにインターネットもテレビもなかった時代、「出稼ぎ」や「行商人」あるいは旅人は大事な情報源だった。特に、村の暮らしを知る出稼ぎの人たちは、常に「村のためになる情報」に敏感に接し、収集しようという意識も持っていたに違いない。

わが土橋村《つちはし》（川崎市宮前区）も、関東屈指のタケノコ産地としてその名を知られていたが、これも幕末に江戸は目黒から「根埋《ねい》け」という独特の栽培法が伝えられたものだという。おそらく村の誰かが土橋村の地味や条件に合致することを見定めて移入したものだろう。

「半日村」と呼ばれた寒村に、「何か稼ぎを……」と思い巡らせながら出稼ぎに出た人々の熱意の表れとして寒天づくりはある。小林粂左衛門の目が確かであったことは、他の産地が「糸寒天」の製造のみであるのに対し、諏訪では「棒寒天（角寒天）」の製造も可能だった

寒天の天日干し（諏訪市博物館）

ということからもわかる。棒寒天は糸寒天に比べ、はるかに太い。それは、はるかに大きな体積のところてんの芯まで凍らせ、均質に融かすに適した複雑な条件が揃わねばならない。ただ寒いというのみならず、晴天率が高く、雪が少ない。そして豊富で清らかな井戸水、風の道筋など、棒寒天にこれほど好適な土地はなかったということだろう。それは立派に風土に馴染み、「諏訪の風物詩」としても定着した。

寒天工場は、川のすぐ脇に造られている。とにかく水が命の産業なのだ。まずはプールのような大きな水槽に水を張り、テングサやオゴ、イギスといった海藻を水に浸けてふやかし、よく煮出して「のり」と呼ばれるドロドロの液を抽出するところから寒天づくりは始まる。その「のり」を冷やし固めてまず生《なま》天《てん》（トコロテン）を作る。澄んだ美しい寒天となる生天は清らかで豊富な井戸水の賜物だ。その生天を短冊状に切り出し、「庭」（稲を刈り取った後の田んぼ）一面に並べ、「凍らせては融かし」を繰り返すことで乾燥し、寒天が出来上がる。

かなりざっくりした説明ではあるが、この「凍らせては融かして乾燥し」という作業を天日で行うためには、しっかり凍結すること、晴天が続くこと、ほどよい風が吹くことが重要だ。諏訪（茅野）は、その絶好の条件が整っていたために、分厚い棒寒天をも凍結・乾燥させることが可能だった。棒寒天の製造は、北海道や満州でも試みられたようだが、結果的には諏訪の品質には及ばなかったと聞く。

大正時代に諏訪の天屋の娘に生まれた唐木つや子さんが描かれた『てんやしょう』という絵本によれば、かつて、原料のテングサ類は伊豆の海から上がり、「塩の道」と同じ経路をたどり、駿河岩淵から甲州鰍沢まで富士川舟運で上り、陸揚げされると馬の背に負われて諏訪まで届いたという。また、日本海で採れるオゴは、これもまた「塩の道」である直江津―高田―長野―上田―和田峠を越えてやってきたといい、いずれも一週間から一〇日ほどかかったものという。

諏訪では、一般家庭の冠婚葬祭には「寒天寄せ」が欠かせないというが、寒天を使った諏訪の名物に「塩羊羹」がある。下諏訪の「新鶴《しんつる》」が有名だが、これはまさに塩の塩梅が素晴らしく、実に上品なものだ。諏訪の水、小豆（現在は北海道産）、海から「塩の道」を辿ってきた寒天、そして塩が絶妙に融合するその味は、諏訪の風土と文化を物語る。

「和菓子に諏訪の寒天は欠かせません」と語ってくれたのは、山形県の銘菓「乃し梅」を作る「佐藤屋」の八代目店主・佐藤慎太郎さんだ。羊羹などの〝竿《さお》もの〟はもちろん、透き通った琥珀色が美しい「乃し梅」は、代々にわたって諏訪の寒天と地元山形の梅を用いているという。

一方で、寒天は医療用、工業用などにも用いられるようになっている。ドイツの細菌学者ロベルト・コッホが細菌の培養をする「培地」に寒天を用いて成果を挙げたために新たな需要が喚起された。

日本一の寒天生産地の諏訪だが、「棒寒天」の生産を主力とし、昔ながらの製法を続けてきたために、かえって粉寒天の需要の拡大や、食品以外の利用の対応に遅れをとっているという。伝統的な製法は危険を伴う重労働も多いため、人手が集まらず、年々店をたたむ人が増えているとも聞いた。私たちは少なくなりつつある昔ながらの寒天づくりの撮影をしたいと考えた。これは、地域へのせめてもの恩返しという気持ちを持つ由井が、作品のロケの空いた時間を見計らって、地元の映像記録を積極的に行い、地元への置き土産として残していきたいと考えての行いだ。

長野県寒天水産加工業協同組合を訪ねると、当時代表を務めていた小池隆夫さんが、ご自身が経営する「イリイチ寒天」の加工場での撮影を許してくださった。極寒に夜通し行われる「釜炊き」作業に由井とカメラマンの秋葉清功《せいこう》さんが向かい、諏訪清陵高校の石城《いしがき》正志《まさし》元校長も徹夜で付き添ってくださった。巨大な釜に原料と水を入れ、下から薪でごうごうと火を焚く作業は危険と隣り合わせで、絵本『てんやしょう』にも、釜に落ちて命を落とす人もいたと書かれている。そして煮立った「のり」を濾《こ》して次々に「もろぶた」と呼ばれる木枠（今はプラスチック）に流し込み、すぐさま生天を固める作業に移る。固まった生天を天切り包丁で短冊に切り分け、庭一面に改良台と呼ばれる干し台を張り、おびただしい量の生天を並べていく。天日干しは陽射しや風向きによって並べ替えたり、雪や雨になれば、直《ただ》ちにしまい込んだり……と、天候まかせの苦労の多い仕事だ。現在、この厳しい作業のほとんどを北海道からの出稼ぎの人たちが担っていると聞いた。由井と秋葉カメ

現在（2018年）も天日干しは真冬に行われる。雪をかぶった八ヶ岳を背景に

ラマンが収めた映像は、地元のみなさんはじめ、多くの方に見ていただけるようにしたいと考えている。

主原料のテングサも国産のものは少なくなって価格も上がり、輸入物に頼らざるを得ないようになっている中、市場では使い勝手の良い粉寒天が求められるようになり、ますます棒寒天の製造は厳しさを増しているという。

石城元校長は、「棒寒天」にこだわりつつ、寒天の機能性や健康づくりを提案する店舗の運営に取り組む松木本《まつきもと》さんを紹介くださった。

松木さんは、諏訪四賀に「トコロテラス」という寒天を存分に味わえるカフェを開いたばかりだった。考えてみれば、諏訪で寒天を買い求めたり、味わえる場所は意外に少ない。

これはヨソモノにとってはかなりうれしい話だ。「トコロテラス」は、甲州街道から諏訪湖に続くサンリッツロード沿いにあり、明るくオシャレなお店は、いつも女性客で賑わっている。入り口を入ると寒天や加工品などのみやげものが並ぶコーナーが広く取られ、寒天加工のファクトリーも併設され、製造工程を見学できるようになっている。居心地のいいカフェ空間が奥に設えられており、洋風のメニューには寒天がさまざまなアイデアで取り入れられ、寒天を使ったデザートもバラエティに富んでいる。

松木さんは、東京でお仕事をされていたこともあるというが、天屋の跡を継ぐために諏訪に戻られたという。やはり「諏訪の天屋」として、天日で乾かす棒寒天にはこだわりがあるそうだ。天日干しは、どうしても人の目で乾き具合を見極めることが大切なので、昔ながらの方法を守っている。その代わり、天日干しに至るまでの工程を機械化することで省力化を図っているとのことだった。

棒寒天は粉寒天に比べて、嵩《かさ》ばること、水に浸けるひと手間が増えることで、私自身敬遠しがちになっていたが、水に戻した寒天は、なんとも言えない心地よい感触があり、一本一本の繊維がほぐれていく様に、真冬にきびきびと立ち働く「天屋」の人々の姿が浮かぶ。やはり棒寒天には、諏訪の風土と文化が詰まっている。「ものを買う」という行為は、どうしても刹那的になりがちだが、ものの背景にある「物語」をしっかり受け止めることで、豊かさを実感した。

「風土に馴染む」――人体寸法と風土

「繰越汐」も「寒天づくり」の風景も、諏訪の風土に馴染んでいる。「風土に馴染む景観」について、深く考えてみることはなかったが、生まれ育った萱葺き屋根の家とその風景が愛おしく忘れがたい。だからなのか、旅先でも民家の屋根が気になるのだ。

『やまうら風土記』には、この辺りの家はクリの板葺きだったと書かれている。縄文の昔からクリの木を家や道具などに使っていたという。クリの木はこの地の暮らしを支えてきた。また、藤森栄一は、同じ茅野の安国寺区には白樺の皮で葺く「樺《かば》葺き」の屋根があったといい「屋根に白樺の樹皮を敷き、その上に小石をぎっしり一行に並べた、それこそもう、文化財に指定していい珍しい屋根です。いろとりどりの河原石が並び、それにコケむして実に美観です」と記している。

かつての村の家々は、その土地にある木や石や竹、そして草や土を使い、生身の人間の働きと、それを補う素朴な道具によって造られていた。

祖父母や両親は、屋根葺きも、畑の畝《うね》を切るのも、あるいは種子を播《ま》くにも、足の歩幅や腕の長さ、手指で距離を測り、脚や膝《ひざ》の丈、指の節などで深さを測っていた。いわゆる「人体寸法」だ。わが家の畑は家族の身体がモノサシとなってデザインされる。家族の使う鎌や鍬といった農具も近隣の鍛冶屋《かじや》がそれぞれの背格好《せかっこう》や使い癖に合わせて仕立て、修理をしてくれたものだった。お隣りの家や畑は、お隣りの家人の寸法でデザインされる。いわば村中がてんでバラバラの規格で作業をしているのだが、全体から見ると、風土と調和し、心に沁み入る風景となる。

一方、ビルや建売住宅をはじめ、自動車や生活用品に至るまで、今や世界共通の規格、基準によって建てられ、作られている。判で押したように同じ建物が整然と並び、公園がデザインされている区画もある。これを美しい、あるいはスタイリッシュと思う人もあるかもしれない。しかし、風土とは馴染まない。その規格そのものが風土の理《ことわり》を離れていると私には思える。

同じ「人間」から発しているにもかかわらず、この違いはどこから来るのだろう。大原則として、人は「生き物」であるがゆえに、大いなる風土の循環に即さずには生きることができない。その反面、風土を剋《こく》することに邁進《まいしん》して顧みることがないかのようにも見える。

一つ言えることは、故郷の山が切り崩されたとき、私はまるで自分自身が傷つけられ、深く抉《えぐ》られるような痛みを感じた。自分の村のみならず、まったく関わりのない村であっても、山や川、萱葺き屋根の家や田畑が重機で潰されるのを見るとき、同じように身を切られるような痛みと無念を感じた。それは私一人の問題ではなく、恐らく都市で生まれ育った人であっても山や川、海が汚れ、傷つけられる姿を目の当たりにしたとき、同じように心に痛みを感じるものなのではないだろうか。

むかし話や伝説の多くが風土を擬人化して語られることが多いのは、本来、人に備わる「風土と響き合う」本性《ほんせい》を養う動きがあるのではないだろうか。そして「懐かしい」という感覚は、「風土に馴染む」ものづくりに関わる大切な心の動きに思えてならない。

見たこともないのに懐かしい、神長官守矢史料館

「懐かしい」けど「新しい」という、相反する印象が同時にもたらされ、一瞬で心を鷲《わし》づかみにされたのが、神長官守矢《じんちょうかんもりや》史料館だ。

神長官守矢史料館は、上社のご神体・守屋山の北麓にあたり、茅野市の「天屋衆」の点在する同じ地域、つまり宮川沿いの県道・岡谷茅野線に面している。この道沿いには、諏訪湖に向かって手前から諏訪大社上社前宮、神長官守矢史料館、諏訪大社上社本宮が並び、諏訪信仰の拠点ともいうべき土地でもある。

この神長官守矢史料館を訪れる人は、建築に関心のある若い人が多い。なぜなら、この史料館は、そのユニークな建築で世界的に知られる藤森照信氏が設計を手掛けたものだからだ。そもそも建築史研究が専門だった氏が、建築家としてのデビューを飾った作品でもある。

藤森照信さんの建築を「見たこともないのに懐かしい」と評した人がいるが、まさに言い得て妙。なんとも不思議なフォルムに「この発想はいったいどこから生まれてくるもの

藤森照信設計の神長官守矢史料館は鉄平石葺き
（Photo by Kenta Mabuchi,CC BY-SA 2.0, Wikimedia Commons）

か……」と思った瞬間に、藤森ワールドに魅き込まれてしまうのだ。この神長官守矢史料館もまさに、突飛な建物ではあるが、「どこにもないけど懐かしい」感じがする。

そもそも、この『諏訪式。』の執筆にインスピレーションを与えてくれたのは、長野日報社が発行した『諏訪マジカルヒストリーツアー』という冊子だった。第一章でも紹介したとおり、それは、地元経済界の顔役でもあった山崎壮一さん、マルチプロデューサーの立川直樹さん、そして藤森照信さんという異色のメンバーが諏訪のあれこれを語り合い、紹介するものだった。

私は高校生の頃に藤森氏が赤瀬川原平《あかせがわげんぺい》氏、南伸坊《みなみしんぼう》氏らと結成した「路上観察学会」の本に惹かれ、縄文建築団の活動に興味を持った。そこから今和次郎《こんわじろう》の「考現学」を知り、別ルートで私の中に積み上げられてきた渋沢敬三や宮本常一、柳田国男らとクロスオーバーし、現在に至っていることを考えると、諏訪で再び藤森照信さんの記念すべき作品に出会えたことは感慨深いものがある（以下「照信さん」と呼ばせていただく）。

……と、なんと幸運なことに、私たちがロケで諏訪に滞在中に照信さんがご実家に戻られるという。ご本人にお目にかかり、史料館を案内いただくことができた。

史料館の〝ものがたり〟を感じさせる原初的な外観は「日本的」という範疇を遥かに越えているが、不思議に周りの景観と馴染んでいる。これについて照信さんは、「諏訪の伝統家屋をモチーフにしようと思ったけど、この辺の民家は（歴史を遡っても）たかだか江戸時代なんだ。神長官にまつわる建物なんだから縄文をイメージした。するともう日本とか越えちゃう」と言った。

「そうか。遡れば国境も何もないんだ！」と、急に眼前が開けたような気がして納得してしまった。照信さんも縄文も〝プリミティブ〟だけれど新しい。

神長官守矢史料館の屋根は石葺きだ。考古学者の藤森栄一は、『新信濃風土記――諏訪』

の中で、

「諏訪では〝カカア天下と石の屋根〟というくらい、鉄平石《てっぺいせき》で葺いた石屋根の家が多かったが、今は見るのも稀だ」

と書いている。神長官守矢史料館は、その「石屋根」の記憶も伝えてくれる。

「鉄平石」と言われるその石は、八ヶ岳のマグマが地下の比較的浅い場所で冷えて固まった火山岩（輝石安山岩）の一種で、「板状節理《ばんじょうせつり》」の構造を持ち、板状に薄く剝がれる性質がある。諏訪では、江戸時代の頃から民家の屋根材として使われてきたものだという。

「史料館」という性質上、耐火に優れた鉄平石を屋根に用い、コンクリートの内壁で史料の長期保管に耐えうるものにしているとのことだ。しかし全体的に藁を混ぜた手塗りの土壁風の壁面と木のコントラストが印象的に使われていて、手づくりの風合いが温かみを醸し出している。目を上げてギョッとしたのは、何頭もの鹿やイノシシの頭が壁に架けられていたからだ。その下には白い兎や魚、小動物が串刺しにされている。もちろん剝製《はくせい》ではある。これまでに出会った神事とは違う獣の血の匂い。日本列島の深層をのぞき込んでいるようでゾクゾクする。

これは菅江真澄《すがえますみ》が諏訪を訪れた際に目にした「御頭祭《おんとうさい》」の記録をもとに再現したものだ

という。「菅江真澄は諏訪にも来ていたのか……」と思ったのは、由井英が所員として所属していた民映研の作品を通してその名を知り、江戸時代後期に東北や蝦夷地へと旅し、先々の風土や暮らしについて詳細な記録を残した人物だと教えられていたからだ。「諏訪―東北―蝦夷」という足取りにますます菅江真澄への関心を深めた。菅江真澄は本草学を学び、絵心もあったことからその記録は史料としても重要で、柳田国男や宮本常一の書にもたびたび登場する。いわば民俗学者あるいは人類学者の先駆けでもある。

照信さんが地下をイメージしたという奥の回廊のようなスペース（史料室）には貴重な「守矢家文書」が展示されている。これらは守矢家に伝わる鎌倉時代以降の史料で、諏訪神社の祭礼に関するものがほとんどだが、中世の信濃国の状況を克明に記録したものや、武田信玄の書状もあり、甲信の歴史をひもとく上で欠くことのできない史料が収蔵されている。

展示された古文書や絵図を見ながらも〝獣の頭〟が頭から離れない。この獣たちは、御頭祭とは、神長官とは、そして諏訪信仰とは何なのか……。そもそも諏訪大社が上社と下社に分かれて四社もあること自体、意味がよくわからなかった。「大社」と呼ばれる神社もいくつか回ったことがあるが、諏訪信仰はその範疇を越えているようで、頭の中がグルグルしてくる。地下の回廊から出ると、ふいに照信さんが「そこにはめ込んであるの、手吹

史料館のすぐ近くに建つ茶室「高過庵」

きガラスなんだよね」と窓を指さした。外からの光が柔らかく取り込まれている。なんだかホッとした。

引き続き、贅沢なことに史料館から五分ほど歩いたところにある二つの藤森建築「高過《たかすぎ》庵《あん》」と「空飛ぶ泥船」をご案内いただいた（その後、高過庵の隣りに竪穴式茶室、その名も〝低過庵〞が登場したらしい）。ツリーハウスのような茶室「高過庵」は高い梯子《はしご》をかけて登っていく。遊び心満載だ。茶室の小窓からは八ヶ岳と茅野の町が見える。反対側の窓からは「晴れてるとね、諏訪湖が光ってるのが見える」のだそうだ。藤森作品が置かれたその場所は、まるでお伽の国に迷い込んだかのような不思議な空間だった。その照信さんの身体にも息づいている八ヶ岳西南麓の縄文的世界に触れられたように思えた。

諏訪からはもう一人、藤森照信さんと好対照な建築家が生まれている。伊東豊雄さんだ。伊東さんは照信さんより五歳上で、お生まれはソウル（日本統治下の朝鮮京畿道京城）だそうだが、二歳の時に父祖の地・下諏訪に戻っている。地元の諏訪湖畔には、ご自身が設計した諏訪湖博物館・赤彦記念館があり、銀色に輝く現代的なシルエットは、諏訪湖に浮かぶ船をイメージしたといわれる。伊東豊雄さんの作品は、仙台の「せんだいメディアテーク」、岐阜市中央図書館の「ぎふメディアコスモス」、そして、津波で被災した人々のよりどころとして企画に携わられた陸前高田市の「みんなの家」を拝見したことがある。天井が高くゆったり伸びやかなその空間には地域の人々が集い、心地よく利用されているように思った。幾何学的な直線と曲線が交わり、メタル素材やガラスなどを多用するソリッドで現代的なイメージは、有機的な照信さんの建築とは対照的な印象だ。

しかし、照信さんが伊東さんご本人から聞いたところによれば「それは冬の凍った諏訪湖のイメージ」なのだそうだ。伊東さんご自身も、故郷・下諏訪の記憶について、「私の家は湖のほとりにあって、庭から湖畔に出られました。冬、家の庭からスケート靴

伊東豊雄設計の下諏訪町立諏訪湖博物館・赤彦記念館

を履いて凍った湖面をすべって学校へ通っていました。また、諏訪湖を見ながら明日の天気はどうだとか、季節の移り変わりを子供ながらに感じていたわけです。そのころの体験が私の設計においていろいろな空間に影響を及ぼしているのではないかと、最近になって思い始めたわけです。無意識のうちにカーブした空間が出てくる。それは、この盆地に住んでいたことと関係があって、何かを囲い込む意識が出てきてしまうわけです」

と述べ、風土から受けた無意識の影響が、自身の設計に反映されているとしている。

諏訪湖を挟んで上社側から藤森照信さん、下社側から伊東豊雄さんという現代日本を代表する建築家が同時期に輩出されたことは興味深い。

恐らく、お二人とも、初めから足元を見ていたわけではなく、むしろ広く世界に学び、専門を究められる中で、ご自身の「個」を掘り下げ、突き抜けたところで〝たゆたう〟源泉と繋がり、インスピレーションを受け取ることができたのだろう。そこまでの「表現」を持ち得た時、風土の記憶は更新されて人々の心に届くものとなるのだと思う。

東国的世界と西国的世界——共に生きる神々

照信さんが神長官守矢史料館の設計施工に携わったのは、諏訪大社の神長官《じんちょうかん》を代々務めてきた守矢家のご当主・守矢早苗さんと幼馴染《おさななじみ》だったご縁によるとのことだ。なんと早苗さんのお爺さんの守矢眞幸《まさき》さんが照信さんの名付け親なのだという。眞幸さんは第七七代神長官で岩波茂雄と親交があり、先輩の岩波に誘われて、地元の中学（現諏訪清陵高校）を中退し、東京で杉浦重剛が開いた日本中学を受験したというのだ。岩波は五年生、眞幸さんは三年生の編入試験を受け、誘いかけた当の岩波一人不合格だったので、甚だしく悲憤慷慨した様が眞幸さんの日記に書き遺されている。ゴタっ小僧の岩波らしいエピソードだ。その後入学を果たした岩波と共に、長善館という諏訪から上京してきた学生のために開かれた寮で暮らした時期もあったという。

さて、そもそも「神長官」とは何ぞや……を語るのは、まったく自信がない。これまであまりに難解すぎるために遠巻きにしてきた諏訪信仰の核心に足を踏み入れていくことにもなる。

守矢早苗さんは、なんと神長官守矢家の第七八代ご当主だという。我が家も多摩丘陵の農家の一五代目なので「そこそこ旧い」と思っていたが、七八代とは、いったいどこまで遡るのだろう。

結論から言うと、守矢家は諏訪大社の祭神とされる建御名方《タケミナカタ》神が諏訪にやって来る前から当地を治めていた先住の神「洩矢神」の後裔なのだという。

『古事記』によれば、建御名方神は葦原中国《アシハラノナカツクニ》を治める大国主《オオクニヌシ》の息子とされている。高天《タカマガ》原《ハラ》を治める天照《アマテラス》らは大国主に国譲りを求め、建御雷《タケミカヅチ》神らをさし向けた。大国主の息子・事《コト》代主《シロヌシ》神は、怖じて国譲りを承諾してしまう。すると弟の建御名方は建御雷に力競べを申し

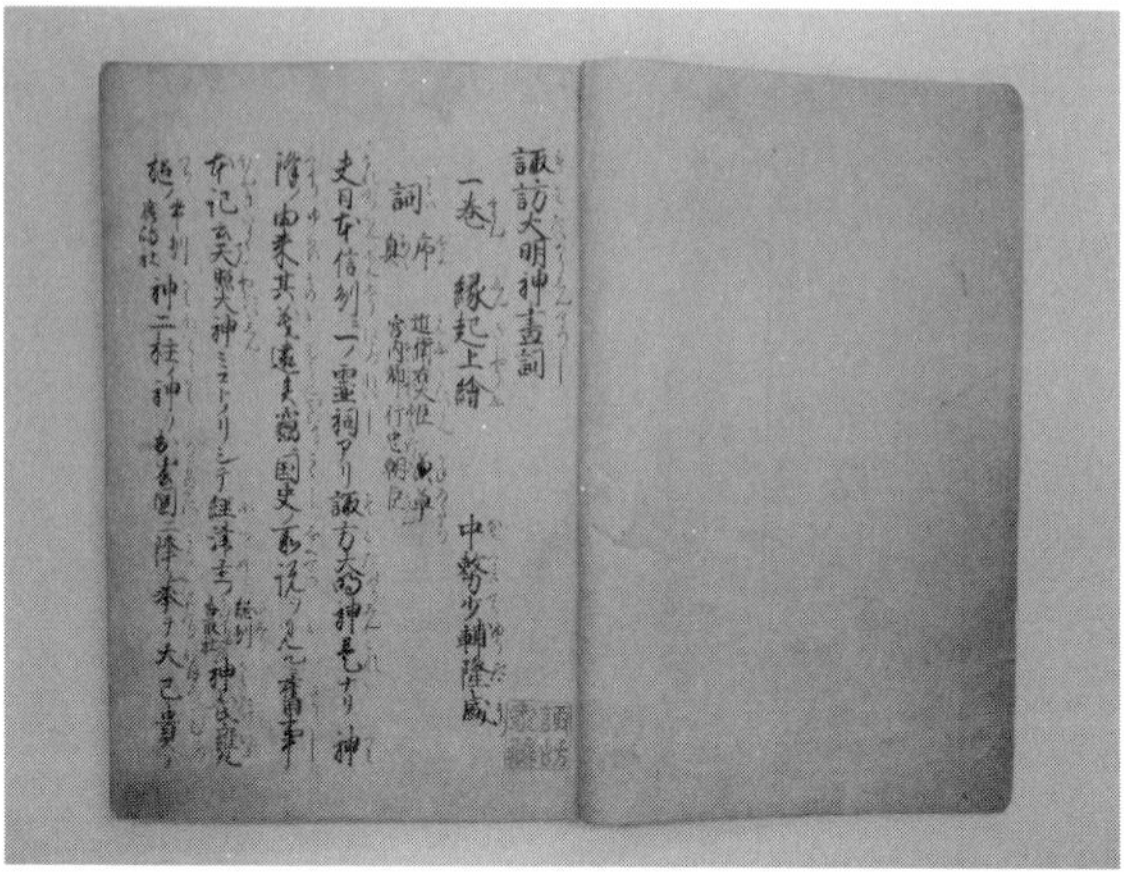

『諏訪大明神画詞』（諏訪市博物館、大祝諏方家資料）
延文元（1356）年に完成した『諏方大明神画詞』の写本

出た。いざ建御雷の手を摑むと、その手は氷や剣に変化して、建御雷は建御名方の手を握りつぶして吹き飛ばした。建御名方は恐れをなして逃げ出したが、ついに科野《しなの》国の州《す》羽海《わのうみ》まで追いつめられてしまう。そして建御名方は許しを請い、決してその地から出ないこと、高天原の神々や大国主や事代主に背かないことを誓い、国譲りを承諾したという。

建御名方が畿内勢力と闘い、転戦して諏訪に辿り着いた出雲の神様だということがわかる。しかし、その諏訪には先住者の洩矢神がいたことは第一章でも記した。洩矢神と建御名方は諏訪湖で対峙し天竜川を挟んで闘ったことが『諏訪大明神絵（画）詞』

に書かれている。洩矢神は負けてしまうが、諏訪大社の神長官となって共存してきた。諏訪大社が上社と下社に分かれている理由は、そこにあったのだ。

上社は諏訪湖の南側に位置する。本宮と前宮の二社を持ち、先住民の狩猟採集にまつわる文化の色彩が濃く「東国」的である。一方、下社は諏訪湖の北側にある。秋宮と春宮の二社から成り、稲藁をふんだんに使った太い注連縄に象徴される水田稲作を背景とした文化の色彩が濃く「西国」的な雰囲気がある。

神長官守矢史料館は、守矢氏の居宅の敷地内に作られ、外から門をくぐると左手に祈禱殿があり、格式ある古いお屋敷が隣り合う。そのお屋敷の向かいに史料館があり、奥の一段高い所に叢林に守られるように小さなお社《やしろ》がある。御頭御社宮司総社《おんとうみしゃぐじそうしゃ》。「御頭」という言葉が、史料館の壁の獣たちの頭と重なる。この御社宮司＝ミシャグジこそ、諏訪信仰の核心ともいうべき存在だと後に知ることとなった。このお社の後ろには、諏訪大社の大祝《おおほうり》を担ってきた諏訪氏歴代の御廟があり、石碑が集うように並んでいる。

大祝とは、洩矢神に打ち勝って諏訪に入った建御名方神の神威が宿る現人神と言われ、童子が選ばれたという。チベットのダライ＝ラマやネパールのクマリのような存在だろうか……。それも歴史が下ると諏訪氏の世襲になったようだ。

大祝が諏訪信仰の最高位とすれば、祭祀の取り仕切りを担ったのが神長官守矢氏だったという。特に土着の神である「ミシャグジ」を降ろすことは守矢氏だけが行える秘儀だったと聞いた。ミシャグジは謎の多い神であるが、縄文時代にまで遡る信仰ともいわれる。守矢氏の存在によって、縄文の狩猟採集的文化と弥生水田稲作的文化は、諏訪湖を挟んで南と北に併存してきた。後に仏教が国教化した日本では、獣肉食は禁じられてきたが、ここ諏訪では許された。諏訪大社上社からは「鹿食免《かじきめん》」「鹿食箸《かじきばし》」という狩猟や肉食の免罪符が今も発行されている。

藤森栄一は「諏訪を中心に、肉食が盛行し、神社脇にシシオト〔鹿乙か〕という店が立ち、猪・兎・鹿・熊の肉や皮が並べられ、近隣から、ここを目がけて、獲物が集まってき、また四散していたという」と書いている。それは江戸時代のことと思われるが、これも守矢氏が守った軸足ともいえる文化なのだろう。

諏訪には洩矢神の他にも、「蟹河原の長者」、「佐久良の長者」、「須賀の長者」、「五十集の長者」、「武居の長者」などの先住の民がいたと伝わる。建御名方の諏訪入りをめぐっては、洩矢と共に闘う先住者もいた反面、建御名方との共存を決めた洩矢神に矢を向けた者もあったという。

外来者の諏訪氏と先住民の守矢氏は決して睦まじい関係であったわけではないようだが、江戸時代の終わりまでは、その均衡関係が保たれていた。

先住者は、次元の異なる文化を持ち込む外来者によって、駆逐、あるいは滅ぼされてしまうことが多い中で、外来の民である建御名方側は、先住の民を攻め滅ぼすことなく、先住者の祀《まつ》る神を尊重し、その文化を駆逐することがなかった。土着の洩矢神も吸収されて同化するのではなく、軸足を譲ることなく外来者を受け入れたのだろう。

土着の神「ミシャグジ」を降ろす。――つまり、先住者の守矢氏は脈々とつながる諏訪の風土に根ざす術を守りつづけている。

わずかこの五〇年の間に、「旧住民」と「新住民」が、交わらぬまま混在してきた多摩丘陵。そこには表立った争いこそないものの、互いの価値観や生活スタイルの違いから、本当の意味で交わることがなかった。「旧住民」の多くは、田畑を売って「地主さん」と呼ばれるようになったが、土地の神社や寺を守り、その土地ならではの文化と歴史を背負った人々であることは、コンクリートとアスファルトの上に住む新住民の目には映らなかった。

旧住民もまた、自分たちが担ってきた集落の自治にまつわる文化を「新住民」とともに担うべきものとは考えなかった。今も、その矛盾を抱えたまま都市や都市周辺の「土地ならではの基層文化」は消えつつあり、地方同様に、都市の中でも旧住民の文化は「限界集落」化している。

「旧住民」が風土に根ざす軸足を見失えば、「新住民」に同化して消滅してしまうだろう。そうなれば、自分自身の言葉を紡いで対話することすらできず、本当の意味での共存はさらに難しくなるだろう。

とりむすぶ祝詞

諏訪に縁もゆかりもない〝来たり人〟だった私たちは、諏訪市小和田《こわた》・八劔《やつるぎ》神社の宮坂《みやさか》清《きよし》宮司との出会いがなければ、本当の意味で「諏訪の土地に受け容れられた」と感じることはなかったのではないかと思っている。

諏訪に入った当初、教育委員会の高見さんや諏訪市博物館のスタッフの方々から親身に資料を提供いただくなどしていたが、顔見知りがいなかったので、一歩町に出れば一見《いちげん》の観光客のような心もとなさを感じ、さらに、諏訪信仰となると資料を読めば読むほど不可解で、その複雑さの前に一歩も前に進めないような気分になっていた。そこには「撮影をするのだから、いい加減なことは許されない。きちんと理解して地元に失礼のないように」といった思いがあったのだが、今思えば、自縄自縛《じじょうじばく》に陥っていたのだと思う。

『オオカミの護符』をはじめ、これまでの二作品は、自分の地元を舞台にした作品で、行く先々も気心知れた人々が多かった。ところが、この諏訪では自分たちの顔でご縁を拓き、つないでいかねばならないという気負いのようなものもあった。

この縛りから解かれたのは、宮坂宮司が思いがけずご祈禱を勧めてくださったことが大きい。監督の由井、カメラマンの秋葉清功さんとともに拝殿に上る。宮司が朗々と読み上げる祝詞《のりと》は、その場の空気を震わせる。もちろん、諏訪大社四社には参拝に上がっていたが、それは形式的なもので、それぞれのお社の意味もよくわかっていなかった。宮坂宮司の祝詞に包まれ、とても清らかで柔らかな安らぎを感じることができた。

宮坂宮司は、御神渡《おみわた》りの神事を司《つかさど》る八劔神社、そして手長神社、足長神社、旧御射山社《もとみさやま》といった古い古い歴史を持つお社を含め、いくつもの神社を宮司としてお守りされており、中には代々の社家が絶えてしまったお社も預かっておられると聞いた。

それぞれの神事を司るだけでも一通りではいかないであろう中、突然の来たり人である私たちのために、一度ならず共に土地を巡ってくださり、時に社務所でお話を聞かせてくださった。

前宮の「水眼《すいが》」をはじめ、「峰の湛《たた》え」「舟つなぎ石」といった、まず一見の観光客では知ることができないばかりか、ヨソモノが足を踏み入れることを拒むかのような神域へは、宮坂さんの導きがなければ行くことはなかっただろう。

「水眼」は、前宮の社殿のすぐ脇をゴウゴウと音を立てて流れる清流で、手水《ちょうず》としても使われている。清流の淵から柄杓《ひしゃく》で水を掬《すく》い上げ、手を清める。それは、日々形式的に行っていた手水場の清めの本来の姿だった。

山に囲まれた諏訪は、町から少し離れると、鬱蒼たる山の世界が広がる。「峰の湛え」は、そんな山の端の森の中にあるひときわ目を引く巨樹のことを指していた。大鹿が角を広げるがごとく、天に向かって枝を伸ばすイヌザクラは、心なしか光を発しているかのように神々しく見えた。諏訪には「七木湛え」といわれる巨木があったそうで、古くは神使《おこう》という「大祝」の代役の少年たちが、「七木湛え」を巡り鉄鐸《てったく》を鳴らして湛之神事《たたえのしんじ》が行われたという。次に向かった「舟つなぎ石」は、森の潤いに苔むした巨石で、表層の苔に根づいた種から木が生えている。その名から、かつて諏訪湖の水面がこのあたりまであったのではないかと宮坂さんは言う。これも「諏訪七石」の一つだそうで、古代諏訪信仰の重要な痕跡だそうだ。

当たり前のことではあるが、木も石も人間より遥かに長く生きる。つまり多くのことを見知っている、と古代の人は考えたろう。宮坂宮司とこうした諏訪信仰の根源ともいえる巨樹、巨石を巡りながら、昔の人と同じとはいえないかもしれないが、現代人の自分たちの心にも何かが働きかけてくるという感覚は味わわせていただいた。

宮坂宮司は、きっと多くのことをご存知だが、初めて諏訪を訪れた私たちに「体感すること」の大切さを伝えたいと思ってくださったのだと思った。

八劔神社の御神渡り、そして天空の霧ヶ峰で行われる旧御射山祭の神事も宮坂宮司の司る神事である。いずれも映画の重要なシーンとして収めている。

明神さま

「夜明け前にドーン、ゴーッという大きな音で目が覚めるだよ。氷が裂けてひび割れる音だな」

その日、富士見高原病院の待合室にいた私は、たまたま聞こえてきた古老の言葉に耳を奪われた。御神渡りの話に違いない。どうやら若い看護師さんに話しかけているようだ。映画の最初のロケとなる「御神渡り」について調べている最中だったので、耳が会話を拾ったのだろう。

この病院は諏訪の東端に位置する富士見町の町中にある。地域医療の中核を担う総合病院だが、結核療養のサナトリウムとして一九二六（大正一五）年に開設され、堀辰雄や竹久夢二、久米正雄、横溝正史といった文人たちも療養生活を送ったことで知られている。

当時、ワクチンも治療薬もなく、感染力の非常に強い結核は「亡国病」とも呼ばれて大変恐れられていた。諏訪に生まれ、岩波茂雄を「茂雄さ」と呼び、生涯友人として付き合い続けた気象学者・藤原咲平の次姉は赤十字本社で看護師をしていた。が、不幸にも看護中に結核に感染し、その看病にあたった長姉もまた感染して、相次いで二人の姉を亡くした。

時代は少し下って宮本常一も結核に罹り死の床にあったが、当時開発されたばかりで高価だったストレプトマイシンが渋沢敬三から送られてきたことで命拾いしている。今、まさに新型コロナウイルス感染症が蔓延する中で執筆していることから、つい結核に触れたくなり、いや、触れておかねばならないような気になった。

さて、先ほどの若い看護師さんは、古老の「氷が裂ける音」の話に興味を持ったようだ。「へえ、茅野のお家まで聞こえるの？」。茅野は諏訪湖から一〇キロほど離れている。

「ああ、昔は諏訪の盆地中に響き渡ったで」

古老は八〇歳代半ばくらいだろうか。独特の抑揚のある地言葉で「内なる神渡り」を語る古老の姿に出会った時、見たことのない「御神渡り」の様子が鮮やかに心に映し出された。漆黒の冬の夜が静かに明けゆく諏訪盆地に山の端がうっすら浮かび上がる。どこまでも澄んで冴えわたり、御神渡りを迎える湖面の、その張り詰めた気配すら思い浮かべることができたのだ。二人は、「おみわたり」ではなく「みわたり」と言った。それは地元民の近しさの表れのようで好ましく思えた。

この話と出会う前に、下諏訪の古老・今井久雄さんが書き遺した『村の歳時記——子どもの大正生活記』という本を読んでいた。今井翁は一九〇四（明治三七）年に下諏訪で生まれ、平成に至るまで下諏訪で一生を全うされた。萱葺き屋根の家で、昔話を語り聞かせてくれたわが祖母より一つだけお兄さんだ。

今井翁は本の中で「御神渡り」についても記している。大正の頃までは一二月半ばともなると野山が真っ白になり、塩尻峠から峠颪《とうげおろし》が吹き荒れ、湖は大きく波立ち水が揉まれ、やがて風がおさまると湖は一夜のうちに結氷したという。

冬、「いよいよ、湖がふさがった」となると、三日もすれば村々から子供たちが下駄スケートを肩に担いで湖へと出かけたそうだ。明治生まれの人がスケートだなんて、洒落《しゃれ》ている。

「天然のスケートリンク」に恵まれた諏訪はスケート王国でもある。世界のトップ選手である小平奈緒さんは茅野市の出身であるし、オルゴールで世界的なシェアを誇った三協精機の創業者・山田正彦は社内にスケート部を設けた。自身もスピードスケート選手だったというが、三協精機、のちの日本電算サンキョースケート部は今もオリンピックで活躍する選手を輩出し続けている。

1939（昭和14）年、諏訪湖上でのスケート、小学生たちが下駄スケートを履いている（諏訪市博物館）

湖上でスケートもできるようになり、「星の光も凍るばかりシンシンと凍《し》みる夜」を迎えると、今井翁のおばあさんが「今晩あたりは、きっとお明神《みようじん》さまも、湖をお渡りになるずら……」と言う。すると「守屋の山も闇につつまれたそんな夜半には、きまったように、突然の轟音が湖山に響き渡って、目を覚まされた」と記している。守屋の山とは、諏訪大社上社の神体山で、対岸の下諏訪からよく見えたに違いない。

江戸時代に生まれた今井翁のおばあさんにとって、神仏習合《しんぶつしゆうごう》が生んだ「明神」という言い方は自然なものだったのだろう。そして、山や湖面の様子、風の向きや吹き方、月や星、山の見え方、気温など風土の気配から予兆を見て取り、御神渡りの出現を告げている。

ああ、なんと豊穣な世界だろう。ものの本や伝聞で知った「御神渡り」の情景は、古老の話を通してじんわりと私の中に沁み入り、命が吹き込まれた。もはや「御神渡り」は、見知らぬ土地の不思議な出来事ではなくなった。お二人の翁の「物語」は私自身の内なる境界線を、ふうわりと取り払ってくれたのだった。

御神渡りと御渡帳

藤森栄一は「御神渡りの氷の割れ目の方向によって、天下の吉凶を占うようになりました。そして、その割れ方を朝廷へ報告、朝廷ではそれで神祇官や占部が、年間の日本の運命をうらなった」と言っている。御神渡りは、諏訪の神事であるばかりでなく、日本列島全体の命運をも占うものだったのだ。

そして「古い祭政体の政治的運営というものは、ほとんど占いで決められ」ていたと藤森栄一は言う。古代中国から伝わった亀の甲羅や鹿の肩甲骨《けんこうこつ》を炙《あぶ》って、入ったヒビの様子から占いをする亀卜《きぼく》、太占《ふとまに》が弥生時代に日本でも多く行われていたことを引きながら、「諏訪湖の御神渡は雄大な太占だ」と言う。

これには虚《きょ》を衝《つ》かれた思いがした。というのも、ささらプロダクションは、映画『オオカミの護符』の中で、青梅の武蔵御嶽《むさしみたけ》神社に伝わる「太占」を撮影をしている。門外不出の秘儀とされ、鹿の肩甲骨に神が降りるとされる場面の撮影は許されなかったが、その前後の運びについては丹念な記録が叶った。こうして実際の「太占」に触れていた私たちだったが、諏訪湖の御神渡りと太占を結びつけて考えるに至ったのは藤森栄一が書き遺してくれた文章のお蔭だった。

ところで、近頃のお祭りや神事は、どこでも会社や学校の休みの日に合わせ、週末に行うことが多くなっている。何事も「人間の都合」が優先されることの多くなった時代に、この御神渡りの神事は文字通り「天気」すなわち「天の気」に人が沿うている。原初の神事の意味と姿を今に伝える存在でもある。

冬になると、宮坂宮司と氏子のみなさんは、寒風吹きすさぶ日も、小雪が舞う日も粛々と御神渡りの出現を期して諏訪湖畔を巡回する。考えてみれば当たり前のことだが、御神渡りは自然現象で、神事の日程は事前にはわからない。諏訪湖が全面結氷し、御神渡りが起これば直ちに見分《けんぶん》し、その場所で神事を行うこととなる。それゆえ、氏子のみなさんと宮坂宮司は、湖面の結氷の状態を毎日極寒の早朝から見回るのだそうだ。

氏子のみなさんは「丸に諏訪梶《かじ》」の社紋が白く染め抜かれた紫色の揃いの袢纏《はんてん》を羽織り、「八劒神社」と墨書きされた幟《のぼり》を掲げている。時に紫色の袢纏に雪が降りつもり、真っ白になる日もあった（ちなみに、梶の木が諏訪大社の社紋に描かれているが、根が四本のものが「諏訪梶」で上社、根が五本のものが「明神梶」で下社の社紋だそうだ）。

年が明け、二〇一二年の正月もなかなか全面結氷に至らず、岸辺から湖面を見守る日々が続いていた。月末になって大型の寒気がやってくるとのことで、再び諏訪へ。湖の縁はもう固く凍っていた。冬も温暖な地方に生まれ育った私は、あらん限りの防寒を尽くして湖畔に向かうと、カメラマンの秋葉清功さんに「わ、南極越冬隊ですか……？」と失笑されてしまった。秋葉さんは奄美の沖永良部島の出身だが、意外と薄着だ。ハードで緻密なカメラワークに厚着は禁物なのだ。

氏子のお二人は長い竹竿とヨキ（斧）を持ち、湖の中心部へ探索に行くという。竹竿は

八劔氏子のみなさんは毎日早朝に湖面の結氷を確認する

所々にある「釜穴」に落ちないための用心だと言った。諏訪湖の湖底の断層部から温泉や天然ガスが湧き、そこだけ凍らないので「釜穴」と呼ぶのだそうだ。かつては釜穴に落ちて命が奪われる事故が起きていたという。文字通り薄氷を踏むように、ゆっくり足元を確かめながら氷上に歩を進める。

……すると、一人の氏子さんがしゃがみ込み、湖面に顔を当てている。湖底から上がってくる気泡を見ているらしい。確かに気泡が層になって氷に閉じ込められている。この層を見るとおおよその氷の厚さがわかるという。

これこそが、御神渡りを見守り続けてきた地元の人ならではの諏訪湖との対話の姿だ。恐らく地元の人にとっては「当たり前」のことだが、その中に特別な「ここならでは」の身体性が発揮されている。そして、二月四日の朝、御神渡りがあったと知らせがあり、宮坂宮司と氏子のみなさんが筋目の見分に湖上を移動する様子を撮影した。

何より驚いたのは、こうして毎年行う拝観の記録が『御渡帳《みわたりちょう》』という形で、少なくとも室町時代からもう五七〇年以上続けられているということだ。

「御渡拝観」の結果は、諏訪大社上社の神前に捧げ御渡注進奉告式《みわたりちゅうしんほうこくしき》が執り行われ、奉告の結果は、歴代の幕府や朝廷に報告されてきたという。ここまでは藤森栄一の書いた通りだが、なんと現在でも気象庁と宮内庁に報告され続けているという。およそ五七〇年にわたり、毎年欠かさず御神渡りを見分し、記録し続けていること自体、とてつもないことだが、その記録が今も残されているという事実に驚嘆する。それはすなわち、歴代の中央政権が諏訪湖に降りる神意に信を置いてきたということにもなる。少なくとも近世まで、諏訪が特別の計らいをもって歴代政権の庇護を受けてきたことは明らかだ。

この『御渡帳』を藤原咲平が研究し、世界的に知られるようになったと宮坂宮司が教えてくださった。藤原咲平は、前述の通り第五代中央気象台台長を務めた人だが、やはり故

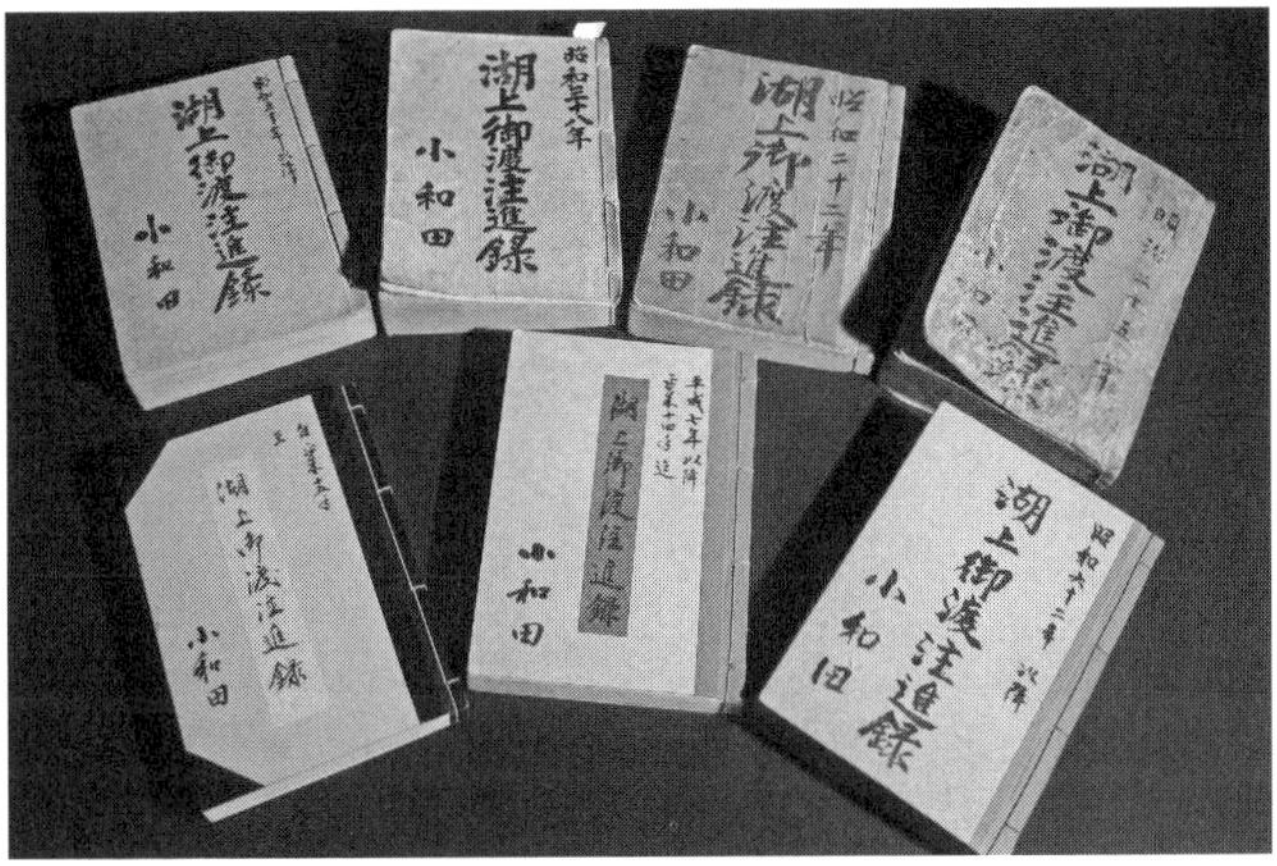

大切に保管される『御渡帳』（八劒神社）

郷・諏訪の風土に並々ならぬ関心を寄せていたのだ。

　宮坂宮司は、神社に保管されているという比較的新しい『御渡帳』を見せてくださった。古いものは、諏訪市博物館に保管されているという。それでも一六八三（天和三）年以降の毎年の御神渡りの様子が克明に記されている。御神渡りの結果は、過去の記録と照らし合わせ、その年の気候や農作物の豊凶、世相の吉凶などを占う指標ともなる。そこには浅間山の噴火により起きた天明の飢饉の深刻な状況なども記録されていた。代々の宮司が記録者となってきたのだろう。記録者が代わるたびに筆跡も変わる。時をつなぐリレーのような息遣いが聞こえてきそうだ。

「先人の思いがありありと伝わってくるんですよね」

優しいまなざしでつぶやく宮坂宮司は、まさに今、その筆を受け継ぐ人だ。

『御渡帳』の最も新しい記録は、この二〇一二（平成二四）年の前年。「異例」という文字が目に入る。三季連続の「明けの海」であり、直後に東日本大震災が起きたという内容が、古式に則り、折り目正しい筆致で報告されている。

「明けの海」とは、湖が結氷せず、御神渡りが観測できないことを表すという。長い歴史の中でも、「明けの海」はむしろ珍しい現象だというが、ここ三季にわたってずっと「明けの海」が続いていたという。まさに「異例」のその年、三度目の「明けの海」を宣言した直後に東日本大震災が起きたというのだ。

「（湖が）結氷して御神渡りができるのが自然の姿で、そうなれば普通の生活を営むことができると思えるのです。ところが結氷もしない、あるいは結氷しても御神渡りができないとなると、何か不安でたまらないのです。逆にそれは、自然が人間に対して『謙虚になりなさい』『節度ある生活をしなさい』と警鐘を鳴らしているのかもしれない。明けの海は、それを私たちに語りかけているのかもしれませんね」と宮坂宮司は言った。

東日本大震災から一冬が明けた二〇一二年、御神渡りがあったことを『御渡帳』に新たに書き加える宮坂宮司は、心なしか安堵し、うれしそうだった。

私は冬の寒さが苦手だが、やはり寒い時には寒く、しっかり氷が張るくらいでないと心落ち着かないと諏訪の人たちは思うのだ。

諏訪明神がつなぐ海苔商い

少々迂遠《うえん》な話になるが、今や「工場萌《も》え」の夜景で人気の川崎市の臨海地区は、昭和四〇年代まで海苔の養殖が行われていた。大伯母（祖母の姉）は海苔養殖農家に嫁ぎ、我が家には、ふんだんに海苔が送られてきたため、父の「のり弁」は、級友たちの羨望の的だったという。大伯母は晩年、我が家に長逗留し、畑仕事に勤しむ祖母や母に代わって家事を手伝ってくれた。明治生まれの大伯母も祖父母も、私からすれば身を粉にして働いた人たちだったが、その大伯母も祖父母と同じように「寒い所から来た人は本当によく働く。まったくかなわねぇ」が口癖だった。

これが諏訪の人たちを指していたと知ったのは、「半日村」と呼ばれ、諏訪の「天屋衆」

を生んだその同じ地域から、東京大森界隈の海苔問屋にたくさんの男たちが出稼ぎにやってきていたと知ったからだ。

海苔は冬に採れ、加工される。冬場に人手が不足する海苔問屋の需要と、冬の農閑稼ぎを求める諏訪の男衆の要求がうまく合致した。

江戸時代から諏訪の男衆は海苔問屋に雇い入れられてきたというが、とにかくその精勤ぶりは目覚ましかった。

その話を裏付けるように、京浜急行平和島駅から蒲田方面に歩くと「岩波海苔店」「守矢武夫商店」「藤森商店」「五味商店」「金子海苔店」「牛山正實商店」……と、諏訪でお馴染みの苗字の商店をいくつも見かける。さながら「リトル・トーキョー」ならぬ「リトル・スワ」と言いたいくらいだ。

そもそも、なぜ山国の諏訪人が海苔問屋に……という素朴な疑問は、分厚い『海苔の歴史』という本によって解けた。これは信州風樹文庫の岩波弘之さんからお借りしたもので、岩波さんのお父上も海苔商に携わり、その経験と眼識により海苔検査員まで務められたそうだ。そして岩波茂雄もまた、海苔屋に出稼ぎに出ていたといい、藤原咲平が中央気象台に勤めはじめた頃に大森に住んでいたというのも、親類や知り合いに海苔問屋があったものかもしれない。

海苔は縄文の頃から食されたという説もあり、『常陸国風土記』には、ヤマトタケルが東征の途上、霞ヶ浦で海苔が干してあるのを見たという記述もあるというほど歴史が古い。もちろん、今のように四角い板海苔は江戸時代中頃になってからのことで、紙漉《す》きの技術を応用したものといわれる。

その海産物の海苔を諏訪人が商うことになったのは、文化文政の頃ではないかといわれる。板海苔ができ、遠くへ運ぶことが可能になったことや、貨幣経済の波が地方へも及びはじめ、百姓も現金収入を得る「稼ぎ」を始めたことが考えられるのではないだろうか。

その頃の諏訪高島藩は、寒冷地で痩せた火山灰土質ゆえに水田が少なく二毛作もできず、財政は苦しかった。そこで藩主は領民に各種の副業を奨励した。特に藩外へ出て働くことも許可したことから、領民は農閑期に現金収入を求めて出稼ぎに歩くようになったのだという。そのため、諏訪には寒冷な気候を利用した寒天づくり、氷餅、凍り豆腐づくり、諏訪湖の天然氷の切り出し、あるいは鍛冶屋、綿打ち、小倉織などの副業も発達した。

江戸に出た者は日本橋の魚河岸で軽子や、味噌醤油の仕込み、酒造りなどの手伝いをしたり、武家屋敷の中間《ちゅうげん》、小者として奉公する者もあった。中でも海苔問屋の仕事は人気が

全国を売り歩く「旅師」

高かったという。最初は丁稚や軽子でも、主人の信頼を得れば買い付けを任され、「江戸売り」や全国を売り歩く「旅師」として商売の機微を知り、才覚次第では店も持つことができた。大森が都市開発によって海が埋め立てられる昭和四〇年代までは、諏訪から盛んに海苔商いの出稼ぎがやってきたという。

諏訪から出て店を持った最後の世代ともいわれる藤森邦美《くによし》さんはやはり茅野の出身で、大森の梅屋敷に「藤森商店」を創業され、郷里にも工場を併設した店舗を開かれた。後発組だった邦美さんは、先輩たちとは違うアイデアをどんどん実行して基盤を築いたという。藤森商店の海苔は、湿気や紫外線を防ぐために包装にアルミフィルムを採用し、手巻き寿司サイズの缶海苔が人気を博すなど、現代人の需要に応える商品が多い。

「昔は家で七輪やコンロで焼き直したものだけれど、今はそのまま食べるでしょ。だから〝焼き〟を深くして味を高めてるんです」

と、変化する生活文化への視線の確かさを感じる。今は郷里の茅野で畑仕事に勤しむ隠

海苔の担ぎ売りを昭和時代に再現したもの。「江戸売り」と「旅師」〈右頁〉がある。
宮下章『御湯花講由来――諏訪海苔商団二百年史』（大田区立郷土博物館）

居生活だが、大森の店は孫の俊哉さんが意欲的に取り組んでいる。

海苔商は「半日村」の青年たちの憧れの仕事でもあったようだ。こうして大森界隈の海苔問屋の八割方は諏訪の出身者で占められるようになったといい、後に海苔の検査員もそのほとんどが山国の諏訪人がその任に当たった。

さらに、この諏訪人たちは、江戸大森に限られていた海苔養殖産地を全国に広げた。「旅師」は単に製品を売りさばくのみならず、養殖技術に精通し、行く先々に新規の産地を開拓して、自らの基盤を厚くしたというのだ。東京の都市化に伴い、大森での養殖が縮小傾向にあった中、佐賀の有明や東北の三陸など、現在「名品」を出荷する産地はみな、諏訪人が開拓していったという。乾海苔《ほしのり》が全国区の食材になったのは、諏訪人の働きによるところが大きいのだ。

この「諏訪海苔商人」の絆を繋いできたものがある。それは郷里の諏訪信仰だ。中央線が敷かれるまでは、和田峠や碓氷峠を越える中山道か、笹子峠、小仏《こぼとけ》峠を越える甲州街道のいずれかを歩いて江戸に出た。どちらも難路であり、道中には強請《ゆす》りタカリや追剝《おいはぎ》に山賊、はたまた宿場女郎の誘惑など百鬼夜行の道を辿らねばならなかった。そこで、出稼ぎに出る前に男たちは諏訪明神に無事を祈るのが常だった。

諏訪の海苔出稼ぎ衆が一つにまとまる動きを見せたのは、一八五二（嘉永五）年のことだった。そもそも「口減らし」であったものが、次第に発展し、海苔商の地位を占めるようになったのは、ひとえに諏訪明神の神徳によるものと考えた。そして諏訪明神に太々神楽《だいだいかぐら》を奉納する話が持ちあがった。神楽の奉納は、神恩に報いる最上の参拝方法とされている。しかし、これには大きな資金が必要であった。出稼ぎ仲間が「信濃国一ノ宮太々御神楽連名帳」と墨で大書した寄付帳を持参して問屋の主人を回ると、東・西・北大森村の五両を筆頭に、大森、品川、浜川、御林、海晏寺の五ヶ町村、六五名の問屋、仲買商から四二両にも及ぶ大金が集まったという。それは、諏訪の出稼ぎ衆の誠意ある仕事ぶりが問屋衆の信頼を得ていたことを物語る。これを機に、諏訪の出稼ぎ衆は、「こうして諏訪明神のもとに一致団結すれば、業界で端倪すべからざる勢力を得られることを知り」、一八六一（文久元）年に海苔仲間に呼び掛け「御湯花講《おゆばなこう》」を結講、「諏訪乾海苔商仲間定」を定めた。その内容が興味深いので引いておく。

信州諏訪ノリ商人は、寒国故に銘々国を離れ、出稼ぎに出ている者たちである。「稼方年々手広」になった上に、無事息災に帰国できるのは、故郷諏訪明神のおかげである。ところが同じ明神のご加護をうける出稼同士が「相互に実意をつくす」べきを、道で会っても素知らぬ顔をし、困る同郷人があっても助け合おうともしないのは嘆かわしいことだ。互に「不義理」がないようにしたいものだが、折に触れ仲間が寄合っても「酒興に流れたり、口論」が始まる有様で、嘆かわしい限りである。また、諏訪明神を種にして寄付金をねだり歩く者すらあり、諏訪人の評判を落すことしきりである。

この頃、同じ出稼仲間である、江州商人、越中の菜種屋、阿波の金物屋などは、どのようなことが起った時にも、仲間同士で寄合い、万事を話し合い、互に助け合って実に固い結び付きを示しているのは誠に頼母しいことである。「願はくは我々も仲間取結び、手広に商売出精致」し、もし万一仲間の者から他所へ迷惑を掛けそうな事態が起きたら、皆で少しづつでも金を出して助け合いたいものと思う。（『海苔の歴史』宮下章）

以来、一人一〇〇文の講金を集め、毎年六月一〇日に諏訪大社上社の神楽殿に集い、太々神楽を奉納してきたという。この御湯花講は、諏訪明神への参拝と共に、商取引の諸問題も話し合われるようになり、互いに資金を融通しあう無尽《むじん》も行われ、ますます諏訪海苔商仲間の結束は強まった。

「御湯花講」の由来は、「海苔の種子は、諏訪明神が諏訪の温泉の湯の花を海に注いだ時に生じた」という言い伝えによるという。この伝説は全国の海苔生産者や商人に広く浸透していたもののようで、諏訪大社に詣でた講中は、諏訪の温泉の湯の花や、諏訪大社内にある天流水舎から滴《したた》る「お天水《てんすい》」、砂などを持ち帰ると、どこの海苔場でも豊作を導くと喜ばれ、これをもたらす「御湯花講員」は歓迎されたものだという。

諏訪の出稼ぎ衆の人々が、故郷の諏訪明神を慕う気持ちで絆を深め、またごまかしのない誠実な商売と助け合いの礎を築いたことに深い信頼を感じる。恐らく、江戸の海苔問屋の旦那衆も、「信濃国一宮諏訪明神」を紐帯《ちゅうたい》としてつながる姿には、好ましいものを感じていたに違いない。その証として、海苔問屋の婿に入り、店を任された者も少なくないという。そして、あの働き者の大伯母をして「寒い所の人にゃかなわねぇ」と言わしめた彼らが「御湯花講」のもとに結束できたのは、諏訪に軸足を置き、その身に諏訪の風土を宿していたからに違いない。

「風土を宿す人」は、地域を越え、文化の違いを越えて信頼を築く源泉なのだと思った。

冬に江戸に出て来て、春先の農事初めには諏訪に帰る〝出稼ぎ集団〟の「諏訪乾海苔商仲間」は、やがて大森を中心に東京湾岸に店を持ち定住するようになる。「御湯花講」は、一九八五（昭和六〇）年当時にはまだ講が行われていたことが『全国乾海苔検査員会一五年のあゆみ』に記されている。大森海苔のふるさと館には、明治時代に「御湯花講中」が諏訪大社に奉納した巨大な絵馬のレプリカもあり、勢い盛んな様子が伝わってくる。が、東京に定住した次世代は諏訪への帰属意識や諏訪明神への信仰も薄くなり、今はもう「御湯花講」は止んでしまったという。

東京大森で生まれた「守矢武夫商店」二代目の守矢義衛さんは、「俺は親父の里に疎開していたから、なんとなく意識はあるけどね。同級会には顔を出したりもするけど。こっち（東京）で生まれ育ったらどうかな……」

と言いながら、海苔の食べ比べを勧めてくれた。産地や焼きの入れ方など、さまざまな条件によって海苔の味わいが違うことに驚く。「お客さんの用途に応じた海苔をピタリとお勧めするのが海苔問屋の腕なんだ」という目利きの守矢さんを紹介くださったのは、大森海苔のふるさと館の学芸員さんだった。守矢さんは大森の海苔商いのことなら何でもご存知の生き字引のような存在でもある。

真ん中に「空」を置く

「御湯花講」の話をしている時に、由井が突然「諏訪湖は〝空《くう》〟だね。だからすべてをつないでるんだね」とつぶやいた。

即座に「念仏講のイメージか」と思ったのは、ささらプロダクションの『うつし世の静寂《しじま》に』という映画作品で、多摩丘陵の村に伝わる念仏講の取材をしたことを思い起こしたからだ。

念仏講は、おそらく日本中の村々であまねく行われてきた習俗で、我が村の場合、満月の晩、集落ごとに「宿（当番）」の家に集まり、上座に神や仏が描かれた掛け軸（あるいは塑像）を掲げ、その前に講員が円座して念仏を唱えながら大きな数珠を繰り回す。これは、宿の家の先祖を供養するものだが、「円座」という形に宿る意味は極めて深い。まず、円座することで上下関係がなくなり、真ん中に空間ができる。この空間に先祖や神仏が宿ると考えたのだ。念仏の後に開かれる「直会《なおらい》」は、神仏や先祖と人間が共に食事をし「直り合う」場だ。

つまり、念仏講は人間だけが集うのではなく、神や仏、さらに言えば風土を真ん中に置くことによって、人が分け隔てなく集える構造となっている。盆踊りもまた同じ構造を持つ。

念仏講の成員を「講中」と呼ぶが、この「講中」は、互いに支え合って結婚式や葬式、祭祀、あるいは田植え、屋根葺きなどを行う村を動かす原動力なのだ。「真ん中に〝空〟（見えないもの）を置くことでつながる」構造が自立する生命体としての村落を支えていた。各地で無数に、しかも自発的に行われてきた「講」とは、日本列島の細胞のようなものだったと私は考えている。

諏訪の海苔商人たちの「御湯花講」も、まさに「諏訪明神」を真ん中に置くことで、仲間がつながった。この原点といえるかもしれない大切な「見方」を、藤森栄一が提示している。

藤森栄一は、諏訪で発掘した縄文の村について「井戸尻や尖石のころ、いまから四千五百年も前のムラをみますと、竪穴掘立柱の家が輪のように並び、まん中は空地、つまり広場になっています。／こうしたムラを環状集落、または広場集落といっています。人々はその環でつらなる緊密な共同体を構成していました」と書いている。

諏訪湖をぐーっと「引き」で見てみたくなり、再び杖突峠に登った。

諏訪湖は、岡谷市、下諏訪町、諏訪市の三つの地域にまたがっている。かつては茅野、富士見の方まで諏訪湖が広がっていたと考えれば、諏訪湖を取り囲むように、人は円座しているようにも見える。

諏訪人は時折、「皆、自己主張が強くて他者を認めようとしない。かつての諏訪郡のように市町村がまとまることができない……」と自嘲することがある。人間だけが集う場所には上下が生まれ、利害が生じる。しかし、諏訪湖に意識を向けて、神や仏を宿らせることで諏訪は結び合ってきたのではないか。

諏訪湖は中央構造線とフォッサマグナの交わるところであり、建御名方神と洩矢神の対峙に象徴される稲作と狩猟採集の文化がせめぎ合い、融合してきた場であり、東と西がぶつかり合い拮抗してきた日本列島のヘソであり、〝空〟でもあるのだ。

諏訪の地への〝来たり人〟

真ん中に「空」を置いてつながり合ってきた村落社会に育った私は、ベッドタウンとして切り拓かれた多摩丘陵に各地から移り住んだ「新住民」を本当には理解できていない、いや、理解しようとしてこなかったと感じている。今、『諏訪式。』を書きながら、諏訪の出稼ぎ衆の紐帯となってきた「お湯花講」が自然消滅のような形で止んでしまった事実の前に、都市民にとって「故郷」とは、「風土」とはどのようなものか知りたいと思いはじめている。

そんな思いを抱え、つらつらと物思いにふけりながら諏訪を歩いて出会ったのは、東京からUターンしてきた若者や、他の土地から敢《あ》えて「諏訪」を選んで移り住んだ若者たちだった。彼らは諏訪で小さな仕事を始めている。

最初に気になったのは、「ReBuilding Center JAPAN」という風変わりな店だった。それは御神渡りの神事を司る八劔神社の近くにある。東野《あずの》唯史《ただふみ》さん、華南子《かなこ》さんの若いご夫妻が営むこの店は、「リビセン」と呼ばれている。

店のWEBサイトに、「リビセンでは、解体が決まった建物や空き家となった建物から、古材や古道具を引き取りにいくことを『レスキュー』と呼んでいます。/国内の古材を循環させることで、ゴミや輸送コストを減らし、環境負荷を減らしていける!と気づいたことが、レスキューをはじめたきっかけでした」とあるように、主に長野県内の解体が決まった古い建物から、古材や古道具を引き取り、解体し、リユースできる素材として販売をしている。

そもそも、お二人が新婚旅行で訪れたアメリカのポートランドで出会った「ReBuilding

杖突峠から見る諏訪湖

Center」のコンセプトに惹かれて、現地に企画書を送り名称やロゴの使用許可を得て、この諏訪の地で自力で実現してしまったのだそうだ。それにしても大きな店構えだ。東野さんに聞けば、地元の建設会社が移転した後、空き家になっていたビルを借り受けたのだそうだ。地元の友人の紹介でこの地に開業したという。

古いビルだが、二人の抜群のセンスによって、週末には、首都圏や中京地域の若い人たちが集うスポットにもなっている。一階には華南子さんがカフェ「live in sense」を開き、ゆったりと店を眺めながら食事もできる。東野さんは自らリノベーション、いやリ・ビルディングも手掛け、諏訪での最初の仕事は下諏訪の「マスヤゲストハウス」だったという。ご夫妻は最初、下諏訪に住んだが、相応しい仕事場を得たことで、上諏訪に移ったという。

リ・ビルディング。彼らの意図とは異なる文脈で、私は前向きに受け止めた。それは、まず彼らが自ら選んで諏訪の地に暮らし始めたことだ。そして、自分たちの想いを形にし、仕事を生み出している姿に共感を覚える。

『オオカミの護符』以来、哲学者の内山節《たかし》さんがいう「稼ぎ」と「仕事」について考え続けている。次世代に風土や生命《いのち》を受け渡すための労動に与えられてきた「仕事」という名は、今や「稼ぎ」にすり替わってしまった。「稼ぎがある者＝仕事ができる者」という甚だしいズレは、いつの間に生じたものか。そのかげで「生命」に向き合う本来の「仕事」は置き去りにされ、風土や生命に関わることごとは疲弊している。

そんな時代の中で、東野さんたちの生き方は新しい「仕事」の一つの形のように思えた。東野さんのお話で印象深かったのは、地元の小和田の町の人が使う共同温泉のカギを彼らも使わせてもらっているということだった。それは共同体の一員であることを意味する。

極寒の諏訪湖で御神渡りの見分をしている小和田の衆と、彼らが「一緒に風呂に浸かるの図」を勝手に想像し、思わず微笑んでしまう。

東野さんの手がけた〝リ・ビルディング〟の仕事を見てみたいと思い、下諏訪の「マスヤゲストハウス」に泊まってみた。ここの女将の斉藤希生子《きょうこ》さんは、茅野出身の若い女性。一度東京に出てUターンで諏訪に戻ったという。「マスヤゲストハウス」はもとは下諏訪で一〇〇年以上の歴史を持つ旅館「ますや」だったが、「地域のために使ってほしい」というご主人の想いを受けて借り受けたのだそうだ。残念ながら、斉藤希生子さんは不在だったが、気さくなスタッフや、常連さんがフレンドリーに接してくれる。土蔵と連続する旧い建物は、重厚さがありながら、若い人のセンスがうまく融合し、面白い空間になっている。風呂はないが、そこは温泉町の下諏訪。目と鼻の先の共同温泉をはしごするのも一興だ。

聞けば下諏訪には、東野さんご夫妻のように自分の仕事場や、新しいコンセプトの飲食店を開く若者が増えているという。その受け皿となっている「mee mee center Sumeba（ミーミーセンタースメバ）」に綿引遥可《わたひきはるか》さんを訪ねた。「ミーミーセンタースメバ」は、下諏訪町が運営する移住者交流スペースで、他所から下諏訪町を訪れた人と、地元の生活者をつなぐことを目的に開かれた。

ＪＲ中央本線下諏訪駅から歩いて五〜六分、御田《みた》町の空き店舗を利用している。御田町は下社のお膝元の商店街として栄えたようだが、増え続ける空き店舗を積極的に活用してもらいたいと、いろいろな取り組みをしているという。

綿引さんは、地域に定住することを前提に、最長三年間自治体からの委嘱を受け、地域で働く「地域おこし協力隊」の制度を利用して下諏訪町にやってきた。今は、新旧住民をつなぐキーマンとして、「ミーミーセンタースメバ」に常駐し、「ヒッキー」と呼ばれて愛されている。

「下諏訪は、昔から中山道と甲州街道が交わる温泉町だったから、人を受け入れることに慣れているので、住みやすいです」

と言う。私がお邪魔した時は、古い施設を少しずつ改装していると言っていた。やはり「リビセン」の東野さんが関わっているらしい（二〇二〇年、綿引さんは協力隊の任期を終えたが、下諏訪に定住することを決めた）。

東野さんは、リフォーム、いや、リ・ビルディングにあたって、住む人自身も共に汗をかくこと、創り上げることをとても大切に考えている。リ・ビルディングの行為そのものが、モノとの関わりを問い直し、人と人のつながりを生む土台になっている。下諏訪の「マスヤゲストハウス」がクリエイティブな人たちが集う拠点にもなっているのは、みなで学び合い、築いた気風がずっとその場に漂い続けているからなのだろう。実は、他所から来る人ばかりでなく、地元の若者たちも集うようになり、内外の人々の交流の場にもなりつつある。

別の機会に下諏訪の地元の若い女性から「自分は地元の温泉には入らない」と聞いたことがあった。昔ながらの温泉は、古臭く、温度が高くて熱すぎるというのに水で埋めると年寄りに叱られるというのだ。その干渉が煩わしいので、知り合いも少なく、リラクゼーション施設も整う都会的な上諏訪の温泉で息抜きをするという。気持ちはわからないでもなかった。が、一方で、外から下諏訪に移り住んだ若者は、昔ながらの共同温泉で地元の年寄りに叱られる〝文化〟も含めて、その交わりがうれしく、楽しいと言う。互いに「地元」を巡ってベクトルの異なる若者同士が交差する下諏訪の「今」を感じた。

綿引さんは、新しく下諏訪で工房を開いた山本祐二朗《ゆうじろう》さんをご紹介くださった。子供を連れてふらりと現れた山本さんは木製のスピーカーを手作りする作家さんで、近くの工房にお招きいただいた。自ら空き家を改装した空間は、木に囲まれて心地いい。工房の名は

「千万音」。天然木のスピーカーを通した音は、限りなく自然音に近いといい、「生演奏の感動を自宅で味わってもらいたい」と山本さんは言う。そしてご自身が追求する品質の高い天然木のスピーカーを作るために、木材の乾燥に適した地を探した末、下諏訪を選んだのだそうだ。それは日本列島の中でも、松本・安曇野から諏訪周辺にかけての極めて限られた地域が有する特徴的な自然条件なのだそうだ。

そして山本さんは、自然環境もさることながら、下諏訪は首都圏のみならず、京阪神や名古屋を中心とした中京地域からも交通の便がよく、電車、バス、自動車の三つの交通手段があることも大きな魅力だと言った。そう。ここは古来、西と東が交わる要衝でもあるのだ。

「注文や完成品を引き取りに見えるお客様にとっても便がよく、お泊まりいただく場所も申し分なく、観光もしていただけるので、みなさん喜んでお越しくださるんです」

と下諏訪の魅力を語る。さらに製糸業、精密機械産業と「ものづくりの伝統」があるので、人々の理解がとても深く、協力的だと言い、彼もまた町のお祭りに参加するのだと言った（その後、山本さんは下諏訪からやや南に下った箕輪町に築一五〇年の古民家を買い取り、新たな拠点を作られている）。

かつて諏訪は人材がクロスオーバーする場だったことを思い出していた。

山本さんは帰り際に、「故郷の三宅島で親父が作っているパッションフルーツです。ちょうど食べ頃ですよ」と、いくつか手渡してくれた。宿の冷蔵庫で冷やして頬張ると、甘酸っぱい南国の味が全身に沁みわたった。

外から、わざわざ諏訪を選んでやってきた若者たちの存在は、今後、地元と交わり合いながらどのような化学反応を起こしていくのだろう。

第四章

人と風土が織りなす地平

——科学と風土編

風土を宿す身体

「身体に風土を宿す人」あるいは「背後に風土が見える人」、つまり私が定義した「軸足のある人」に信頼を感じるのは、私が幼い頃に原風景を「壊され、奪われた」という記憶と感情を持ち続けているからかもしれない。先の東京オリンピックが行われた一九六四（昭和三九）年頃を境として高度経済成長期を迎えた東京には、多くの会社や仕事が生まれた。全国各地から人々が職を求めて大挙して流入し、それは民族大移動ともいえるほどの未曽有の出来事だった。住宅を確保するために近郊の丘陵地が大規模な宅地開発に供された。萱葺き屋根の家が点在した我が村にも何台ものブルドーザーが投入されて唸《うな》りを上げ、親しい山は切り崩され、その土を運び出すためにダンプカーは昼夜を問わず走り回っていた。

日々、祖父や祖母に連れられてくず掃きや薪を採りに通った小径も、凛としてヤマユリが咲き、ばらいちごや桑の実、あけびを採り、山栗やどんぐりを拾った雑木山も、沢ガニやドジョウを獲り、ホタルが舞った小さな沢も消えてなくなった。そこには、ただ赤茶けた土塊《つちくれ》がむき出しにされ、縦横無尽に描かれたダンプカーのタイヤの跡だけが残された。

しばらくして、えぐれた窪みには濁った泥水が溜まり、池のようになった。それは水脈を切られた沢の最期の姿だった。

幼い私にとって、それは許し難い大事件だった。私は工事現場で働く人に敵意を抱き、時に規制線をくぐり抜けて、ブルドーザーに「やめろ」と泣きながら叫んだことも覚えている。

しかし、祖母は縁側にお茶と茶菓子を用意して、村の衆を迎えるのと変わりなく、彼らをねぎらった。現場で働く人たちは、東北や信州から出稼ぎに来ていたのだった。みな、我が家の近くに建てられた飯場《はんば》のバラック小屋にいた。津軽弁のおじさんは家族連れで奥さんも現場で働き、娘の「るっこちゃん」は私と同い歳だった。

彼らは非情な人たちではなかった。信州の有賀さんは「みすゞ飴」を、るっこちゃんのおじさんは、木箱に入ったりんごを里のみやげに携えてきてくれるようになった。みな、祖母を「母親のようだ」と言い、郷里の話をするときの顔はうれしそうだった。彼らの背後に、彼らの里の風景が見えるようになって、私も心を開くことができるようになったのだった。

上京した第一世代の多くは百姓だったのであり、良くも悪くも故郷との紐帯を太く持ち続けていた。そこから既に三、四世代を経て、都市生活しか知らない世代の方が多くなっている。彼らもまた、心に風土を宿しているものなのかどうか、私はやっと知りたいと思うようになった。

本章はその関心を風土と科学と神話に広げてみようと思う。

少し時代は遡るが、諏訪からの上京第一世代となる気象学者の藤原咲平もまた、科学者でありながら、風土に根ざした伝説をその身に宿した人だったようだ。いままでに何度も登場した藤原だが、彼は霧ヶ峰から少し下った角間新田《かくましんでん》という村に生まれ、先祖は下級武士で藩から当地の新田開発を許された草分け六軒のうちの一軒だった。その先祖に太郎左衛門という人がおり、山に薪をとりに行った時、虎杖《いたどり》の生えた原野で天狗と大相撲をとったという言い伝えがあるという。

咲平の師で物理学者でもあった寺田寅彦は、その伝説的な物語を聞いて、

「大正昭和の地球物理学者と此《この》先祖を離して考えることは六《むつ》かしい。人間の思想には歴史と地理の背景があって、始めて生きたものになる。日本人にマルクスやエンゲルスの思想が附焼刃に過ぎないことは余りに明白である」

と言ったという。そこには自身も含めて近代科学では割り切れない物語を宿す咲平への慈しみも感じられる。

明治前半に生まれ育ったこの世代は、四書五経などの漢学の素養もあり、仏教的観念や風土に宿る神々を祀る習慣も持ち合わせ、前近代の名残りを存分にその身に宿し、軸足をそこに置いて近代の科学的態度を身につけていった。

藤原咲平（諏訪市図書館）

諏訪に近代科学の目が注がれ始めた時代、島木赤彦や伊藤長七、金原省吾《きんばらせいご》といった教育者をはじめ、気象学者の藤原咲平、地理学者の橋本福松、考古学者の八幡《やわた》一郎、藤森栄一、作家の新田次郎、平林たい子、歌人の今井邦子、芸術家の武井武雄、はたまた岩波茂雄や片倉兼太郎、山崎久夫、北澤國男といった起業家、技術者……と、全方位と言いたいくらい多岐にわたる分野から綺羅星のごとく、いや、爆発的に人材が輩出される。それは諏訪の風土をふんだんに身に浴び、宿した諏訪人の知的好奇心と近代科学に基づくアカデミズムの出会いが生んだ化学反応だったように思える。

諏訪には壮大な風土と、そこに育まれた縄文や古代の人の痕跡、そして神々を語る物語や伝説といった不思議が身近に満ち満ちていた。

蓼科山

祖母の「昔語り」を子守唄替わりに聞かされて育った私は、人々が風土をわが身に宿す上で、その土地に伝わる物語が大きな役割を果たしていたであろうことを、探究したいと思ってきた。

映画『ものがたりをめぐる物語』の重要な場面となる蓼科山。伝説多き山である。

その蓼科山は単独峰に見えるが、八ヶ岳連峰の北端に位置しており、東京方面から諏訪入りする時にはその姿は見えない。そのたおやかなシルエットを間近で見ると、じんわりありがたい気分になる。蓼科から霧ヶ峰を通るビーナスラインは、蓼科山をイメージして名付けられたそうだが、確かに女神と呼ぶにふさわしい女性的なお山だ。

「甲賀三郎伝説」は、この蓼科山から始まる。

甲賀三郎はある日、祝言《しゅうげん》を上げた姫と二人の兄と蓼科山の麓《ふもと》に狩りに出かけた。すると大きな人穴《ひとあな》があり、姫が落ちてしまった。三郎は藤づるを伝って穴底に降り姫を助けたが、姫が穴底に鏡を忘れてきたというので、三郎は再び人穴へ引き返した。日頃から三郎を妬《ねた》んでいた兄たちは、姫を横取りしようと企んで、藤づるを切ってしまった。穴底に残された三郎は、そこから地下の国々をめぐってさまよい歩き……と始まり、紆余曲折の末、最後に大蛇に姿を変え、諏訪湖で姫と再会するというエンディングを迎える。

映画『ものがたりをめぐる物語』は、諏訪大社の縁起物語とされているこの「甲賀三郎伝説」をモチーフに展開する。

しかしこの物語、諏訪大社の縁起でありながら、建御名方神も八坂刀女神《ヤサカトメノカミ》も洩矢神も出てこない。そしてこの伝説のバリエーションは「これ、同じ物語なの?」というほど限りなくあって、場所も登場人物も、中にはストーリー自体が違っている場合もある。しいて言えば、「地下をめぐる」「大蛇に姿を変える」というモチーフが諏訪信仰をにおわせている気もする。

これは中世に成立した『神道集』に原典を求めることができる。

中世には、諏訪大明神をはじめ、宇佐八幡、熊野権現、鹿島明神、武蔵六所《ろくしょ》権現、出羽羽黒権現、日光権現、白山《はくさん》権現、富士浅間大菩薩など、日本列島各地の神社（当時は神仏習合から生まれた本地垂迹説《ほんじすいじゃくせつ》により、神々が明神《みょうじん》や権現《ごんげん》として語られる）の縁起を物語に仕立て、庶民に説いて信仰を広めてまわる唱導《しょうどう》が派生してきた。そもそもは、教化僧が仏教教義を講じる説法に始まり、民衆にそのエッセンスを平易に伝えるために、節《ふし》をつけたり抑揚をきかせて語ったものが、比喩や物語を語り聞かせて信仰を導く唱導へと変容を遂げたという。時代とともにより芸能的性格が強まり、説経節《せっきょうぶし》などの物語も生まれ、半芸能の宗教者、あるいは芸能者が各地を語りをして歩くようになった。

熊野信仰を諸国に広めた熊野比丘尼《びくに》はよく知られるが、そうした信仰芸能集団の中に歩き巫女《みこ》と呼ばれる人々が生まれた。信州祢津《ねつ》（現東御《とうみ》市）を拠点に諸国遊芸の旅に出た信濃巫女は、諏訪信仰の伝道師だったとも伝えられ、諏訪大社の縁起として甲賀三郎を語ったものという説がある。祢津は蓼科山北東麓の立科町や佐久市に隣接し、蓼科山を諏訪の反対側から眺める位置にある。当の諏訪では馴染みが薄い「甲賀三郎伝説」が、佐久地方に口承されていることを見ると、この「信濃巫女説」には一定の信憑性があるように思われる。

堂々とした姿の蓼科山（Photo by tamachi1011,CC BY-SA 3.0, Wikimedia Commons）

　さてもう一つ、八ヶ岳西麓には、蓼科山が八ヶ岳の妹として登場する物語が伝わっており、これは諏訪のみなさんにもおなじみのお話のようだ。

「富士山と八ヶ岳は背くらべを競ってどちらも譲らなかった。そこである日、互いの頭の上に樋《とい》を渡して水を流した。すると富士山の方に水が流れ、八ヶ岳の方が高いことがわかった。怒った富士山は八ヶ岳の頭を蹴飛ばして崩してしまった。それで八ヶ岳は八割れのギザギザ頭になったとさ」という物語。実はこれ、八ヶ岳東麓の川上村に育った由井英から よく聞かされている話だった。

　しかし、西麓に伝わった話には続きがある。頭の崩れた八ヶ岳を見て、妹の蓼科山はいく日も泣きじゃくり、蓼科山の流した涙が諏訪湖になったというお話。「私が日本一高いお山になってやる！」と泣きじゃくる蓼科山をなだめ、土を掘って蓼科山の頭に運ぼうとするデイラボッチが登場するバージョンもある。

川上村からは蓼科山が見えないためか由井の話には登場しない。こちらの物語にもさまざまなバリエーションはあるにせよ、蓼科山から発した川は確かに諏訪湖に注いでいる。これを蓼科山の涙とするイマジネーションは、風土を擬人化することで、物語を人の内面に根づかせる働きを担ってきたと言えないだろうか。

藤森栄一はこの物語について、「私は、これはどうも古代人の観察がかなり鋭く、科学的真相を感知していたことを示す一例だと思うのです」と言い、八ヶ岳に起こった爆裂の様子を捉え、伝えるものと考えていたようだ。

物語は科学と相反するものと捉えられがちだが、風土あるいは森羅万象を捉え、人の心に届ける力は、むしろ科学に新たな可能性を開くものなのではないだろうか。

ビーナスライン

女神のようにたおやかな蓼科山の姿からその名がイメージされたというビーナスライン。標高一六〇〇～二〇〇〇メートルの高原地帯を貫く天空の道の、その見晴らしは「爽快」そのものだ。ここには藤森栄一が関わる現代の「ものがたり」がある。

この道路は、一九六六（昭和四一）年一〇月に長野県の観光開発事業の一環として着工された。地元では、「この美しい景観を万人に広く開放すべし」とする観光道路推進派と「地元の人々が手を入れることによって保たれてきた貴重な自然や文化が荒らされてしまう」と考える反対派が激しく争った。

実は、このビーナスライン反対運動に若きジャーナリストとして関わっていた市川一雄さんを何度か下諏訪に訪ねたことがある。市川さんは自ら「あざみ書房」という出版社を営み、先に御神渡りのくだりで紹介した、下諏訪出身の今井久雄翁の『村の歳時記』など、地域にとって大切な書の出版を手掛け、ご自身も諏訪に根ざした執筆活動をされていた。その市川さんに私は、諏訪の御柱祭と縄文にぞっこん惚れ込んでしまった岡本太郎の話を聞きに行ったのだった。

岡本太郎はわが郷土・神奈川県橘樹《たちばな》郡高津村二子（現川崎市高津区二子）にあった母・かの子の実家「大貫家」で生まれた。私の祖父母はかの子を「かのさん」、夫で漫画家の一平を「いっぺーさん」、息子の太郎を「たろさん、たろさん」と親しげに呼んだ。大山街道と多摩川が交わる交通の要衝にあり、人やモノがクロスオーバーする土地にあった大貫家は、幕府をはじめ、江戸の武家屋敷に出入りを許された「大和屋」という商家であった。その地に、かの子の弟（太郎の叔父）が開いた「大貫病院」は、当時、近隣では唯一の医療機関で、わが村からも重病人が出れば背負うなり、戸板に乗せるなりして大貫病院に運び込んだものだと聞いている。

市川さんは、「たろさん」が御柱祭を見に下諏訪にやって来た時に、「万治の石仏」を訪れるきっかけを作った人でもあった。

「万治の石仏」の名は市川さんが「たろさん」を取材した記事を『湖国新聞』に載せた時に初めて使ったようだが、

「当時、石仏のことは下諏訪でも知る人は少なかったんだね。ごく近くに住む地元の人が〝あみだ様〟とか〝石ぼとけ〟〝みたらしの石仏〟と呼んでいたことを知らずに僕は〝万治の石仏〞と記事に書いてしまった……」

と、気重な様子であった。「たろさん」が石仏を大いに気に入ったことは喜ばしいと思っていたようだが、さまざまな媒体に（たろさんらしく）興奮気味に「石仏の発見」を紹介したことで、甚だしく観光化されてしまったことには手放しでは喜べないといった表情だった。

市川さんが「観光化」に対してネガティブなスタンスを取るのは、若き日にビーナスラインの建設反対運動に身を投じたことと関係があるようだ。当時、市川さんは地元の歯科医・中根幹夫氏と『諏訪文化新報』を発行していた。この『諏訪文化新報』にビーナスライン建設の計画が進んでいること、旧御射山遺跡に測量用ポールが立てられたことが報じられ、これが建設反対運動のきっかけを作ったという。

諏訪文化新報
御射山遺跡が受難
全体の景観大きく損傷
破壊される段丘の上端部分
ビーナスライン

反対運動のきっかけとなった『諏訪文化新報』5号

「小倉さんね、八島ヶ原湿原はご覧になりましたか、素晴らしいでしょう。動植物もね、貴重なものがたくさんあるんだけれど、あそこに旧御射山遺跡という大事な場所がありましてね。ビーナスラインはね、こともあろうに旧御射山遺跡を貫く計画だったんです」

明らかに「たろさん」の話とは声のトーンが違っている。

夏の終わりに旧御射山社のお祭りを撮影させていただいたばかりだった私は、ここを道路が貫くなんて「ありえない」と、瞬時に思った。旧御射山社は古代諏訪信仰の重要な意味を持つ祭祀場で、八島ヶ原湿原の周りに設えられた木道《もくどう》の最奥にポッコリとした木立と御柱に守られるようにひっそりと佇《たたず》む。旧御射山遺跡は、鎌倉時代に各地から武士団が集い、流鏑馬《やぶさめ》などの演武と祭祀が行われた遺跡といわれ、武士たちが集まった桟敷跡（土壇）が遺されている。山の上に奇跡のように開けた「天上世界」は、初めて訪れた者でも一見して「人が手をつけてはならない」と直感するような神々しさに包まれている場所だ。

この反対運動の経過を作家の新田次郎は『霧の子孫たち』という事実に基いたフィクションとして小説に仕立て、世に知らしめた。活動の中心となったのは、新田の古くからの友人たちで、会長を務めた青木正博《あおきまさひろ》は上諏訪で産婦人科医院を開く医師であり在野の天文学者でもあった。考古学者・藤森栄一の姿もそこにあり、彼は新田の諏訪中での一級先輩である、もう一人は牛山正雄《うしやままさお》で、諏訪清陵高校の理科の教師であった。中でも青木正博の物心両面の献身的な支えがなければ、この活動は立ち行かなかったといわれる。市川さんはこの面々に加わり、運動の経過や、この場所がいかに大切な場所であるかをジャーナリストとして発信し続けた。

新田次郎は、霧ヶ峰から少し下った角間新田という村に生まれ、本名は藤原寛人《ひろと》という。あの藤原咲平の甥なのだ。つまり、「山に薪をとりに行った時、虎杖の生えた原野で天狗と大相撲をとった太郎左衛門」は、新田次郎の祖先でもある。ペンネームの新田次郎は「角間新田の次男坊」の意であることからも、郷里に対する思いの深さが偲《しの》ばれる。

霧ヶ峰に連なる角間新田に生まれ育った新田にとって、霧ヶ峰に観光道路が通ることは、故郷を荒らされる、いや我が身を踏みにじられるも同然の痛みと受け止められたに違いない。

新田次郎（諏訪市図書館）

ビーナスラインの建設は、私にとっても他人事ではなかった。それは我が村を含めた多摩丘陵の開発と軌を一にし、表裏一体の出来事でもあったのだ。

一九五〇年代に高度経済成長期を迎え、一九六四（昭和三九）年に開催された先の東京オリンピックの前後をターニングポイントとして、日本列島は「大規模開発の時代」を迎えた。東京・横浜や京阪神などの都市部は著しく工業化し、地方から爆発的に流入する労働人口のために、郊外は大規模な住宅開発に供され、「新住民」が雪崩を打つようにやってきた。そうした「勤め人」を都心に運ぶべく、東京近郊には放射状に鉄道が敷かれていった。一方の地方では、青壮年層を都市に送り出し、衰退傾向が現れた。都市生活に倦み疲れた多くの人々をレジャーやリゾートなどの観光客として呼び込むために、こちらも大型観光開発に乗り出すことになる。つまり、「都市」（に集まる人や経済）を中心に列島には激しく人の手が加えられ、大きな変化がもたらされた。

宮本常一は、一九六四（昭和三九）年『離島の旅』の中で、当時の「観光ブーム」に対し、

今日観光ブームといわれているが、観光客がいったいどれほど観光地に住む人たちの邪魔をしないで寄与しているであろうか。その生活を破壊する側にまわってはいても、その生活を助ける側にまわっているものは少ない。これは観光が観光客本位のものであって、観光地はいつも利用される側にまわって、観光地が資本家の手によって

植民地化されているためである。（中略）地方の資本がのび、それが植民地主義に対抗して、地方文化・経済が自立できるようになってほしいものだと念願する。その方策のたてられない限り、地方はいつも食いものにされ、犠牲にされつつ、文化の恩恵というものをゆがめられた形でうけることになる。

と、怒気を含んだ激しい口調で述べている。

これは、ビーナスラインの建設反対に動いた新田次郎や藤森栄一、青木正博、牛山正雄、そして市川一雄さんらの思いと重なるものであろう。

市川さんの暮らす下諏訪町はビーナスラインの敷設に「賛成派」が多かったと聞く。その中にあって反対派に身を置いてきた市川さんは、地域が二分されてしまう重い現実に複雑な思いを抱えておられたように思う。

ビーナスライン賛成派の偽らざる思いを伝えるものとして、美ヶ原で二代にわたって山小屋の経営をされてきた山本峻秀《たかし》さんという方の文章の一節を引いておく。

当時の私は、観光開発は道路を造るしかないと考えていた。一人でも多くの人にこの美ケ原の自然美を味わってもらうためには、現在の県道を活用して道づくりをすべきだと思っていた。

自然保護か開発か…。確かに私の中でも矛盾があった。観光開発だけではなく、そこに住む村の人たちの生活も考えねばならないのだ。

あ、、中庸ということは難しい。

終始紳士的な市川さんだったが、別れ際に「新田次郎が書かなかったこと（書けなかったこと）をボクが必ず書きますから」と、私に強いまなざしを送った（その後、市川さんが進行性の悪性腫瘍に侵されているという報が入った。死の床にあって、市川さんは二冊の書を世に送り出した。そして、まさに市川さんが長年温め続けてきた『霧の群像』の執筆にとりかかったという矢先、病は非情にも市川さんから肉体とこの世の時間を奪ってしまった）。

結局、ビーナスラインの反対運動によって計画を撤回させることはできなかったが、最も重要で守るべき八島ヶ原湿原と旧御射山社は迂回させることができた。新田次郎は『霧の子孫たち』のあとがきで「自然破壊の問題は日本各地に起っており、日に日に日本の自然と文化遺産が観光開発の名のもとに失われて行く中にあって、諏訪における、反対運動の成功はまことに珍しいことであった」と書いている。

わが村の開発について、子供だった私には詳しいことはわからない。しかし、やはり賛成・反対をめぐって村が二分し、禍根《かこん》を残したやるせなさは記憶として深く刻まれている。闇に葬り去られたことも多く、後年、古老たちに聞き取りをしようとしたところ、日頃温厚な父に「冗談じゃねえ。今さらそんなこと穿《ほじく》り返《けえ》したらとんでもねぇことになる」と、真顔で強く制止された。

反対派、賛成派のいずれが正しかったのかという問いは不毛だ。いずれにしても、太平洋戦争を経て迎えた高度経済成長の時代を、万人が諸手《もろて》を挙げて歓迎したわけではないということは踏まえておかなければならない。

あれから五〇年以上の歳月が流れようとしている今、縁あって、私が諏訪の地にお世話になり、『諏訪式。』の執筆に挑もうと思えているのは、わが村の記憶に加え、「地元学」の仕事によって、熊本県水俣市と岩手県陸前高田市の二つの地域と出会えたことが力となっている。そこには、地域の分裂を招いた「運動」から再び歩み出し、〝次〟を模索する萌芽があった。

「地元学」とは、水俣病を経験した水俣市の吉本哲郎氏が提唱した地元民による地域の再発見、再構築のための実践哲学で、公害と水俣病をめぐる「運動」によって風土も地域の人間関係もズタズタになってしまった水俣で、「風土を知る、地域を知る」ことから「もやい直し」（地域の絆を結び直す）をすることを目指して始まった試みだ（「地元学」の提唱者としては、東北を拠点に活躍する民俗研究家の結城登美雄氏も挙げておきたい）。

私は当時勤めていたヒューマンルネッサンス研究所の仲間と吉本哲郎さんの家に泊まり込んで、水俣の山を川を、そして海を歩き、そこに生きる人々の暮らしに触れた。そしてそこに蓄積されていた知恵の深さと厚さに出会い、仰天した。「海を見れば山がわかる。山を見れば人がわかる」、その端的な言葉は、海と山と人が分断されてしまった水俣を見事に繋ぐ言葉であり、忘れかけていた百姓の暮らしと感覚を呼び覚ましてくれた。さらに地元の人間にとって「当たり前すぎて気付けないこと」に、ただただ仰天する「ヨソモノ」は、それだけで大きな役割があるという〝逆転の発想〟を持つ「地元学」を面白いと思った。

その後、吉本さんに誘われて、岩手県陸前高田に五、六年ほど通い、「地元学」の活動に触れることができた。ここは霧ヶ峰のビーナスライン同様に、一九七〇年に県の計画に従い、市長が発表した「広田湾を埋め立て、工場誘致をする計画」を漁師が中心になり反対していた。なんと県境を越えて隣町の気仙沼の漁師たちも漁船で船団を組み、広田湾に集結した。それを市民が支援する形で覆した。ここにも霧ヶ峰ビーナスラインの運動を支えた青木正博のようなリーダーでありながら、縁の下の力持ちに徹した人がいた。

味噌・醤油の醸造業を営む八木澤商店の店主・河野通義《こうのみちよし》だ。通義さんは、この運動に関わる覚悟を決めた時、息子の和義さんに、

「この河野家、八木澤商店の財産をつくったのは、この俺だな。実はこんど、この財産を全部使わなければならなくなった。全部使っても、あるいは間に合わないかもしれない。相手があまりにも大きすぎる。しかし、それだけの大事ができた。俺はおまえに、俺とおふくろの面倒をみろとは言わない。だが、女房、子どものことは、お前の才覚でなんとかしろ。自分は生命をかけて、この開発に反対する。男の生きざまを、これから見せる」

と言ったという。霧ヶ峰と陸前高田の運動が成果を出せたのは、「縁の下の力持ち」に徹し、地域の人々の言葉に耳を傾け、人の心を動かすことのできるリーダーの存在が大きかったのではないだろうか。

二〇一一年、その陸前高田を大津波が襲い、町もろとも八木澤商店も海に掠《さら》われてしま

った。漁師を中心に工場誘致から守り切ったあの広田湾には、巨大堤防が作られ、海との関係は遠くなった。今、八木澤商店は通義さんの孫の通洋《みちひろ》さんが継ぎ、ゼロからの立て直しに全力を注いでいる。陸前高田の人々にとって、広田湾を守り切ったという記憶は、きっと支えになるに違いない。

在野の子弟

再び諏訪に戻ろう。ビーナスライン建設反対運動の中心を担った青木正博、藤森栄一、新田次郎、牛山正雄らには、共通の「師」がいた。

その名は三澤勝衛《みさわかつえ》。諏訪中学の伝説の名物教師だ。

三澤は諏訪の人ではない。一八八五（明治一八）年に長野県更級郡更府村（現長野市信更村）の極貧の百姓の家に生まれ、進学が叶わなかった彼は、百姓をしながら苦学に苦学を重ね、検定試験によって教員の職をわが手に引き寄せた。新田次郎の伯父・藤原咲平と一つ違いの同世代だ。

おもに大正時代、信州には白樺派に影響を受けた自由を尊ぶ教育が教師の間に燎原《りょうげん》の火のごとく広がっていた。それは「決められた教科を一方的に教え込むのではなく、子供たちの個々の関心、個々の自発を促し、それぞれの表現を引き出し育むこと」を重視し、教室を出て自然の中で身体を使うこと、インスピレーションを受けることにも積極的であった。

三澤勝衛は諏訪中に来る前に勤めていた松本商業学校で「大八車」というあだ名で呼ばれていたそうだ。それは、大八車に積むほどの参考書を抱えて鼻息荒く駆け込んでくる様を表しているという。藤森栄一は「〔諏訪中でも〕大八車というニックネームに恥じないにぎやかさだった」といい、「書籍・絵図・掛図・地図、それに必要があれば実物標本、それはまさに真剣勝負の場でもあった。諏中へくると、彼は小松校長に要求して、大きな反射幻燈機を購入させ、書籍・雑誌・リポートのあらゆる文献中から反転映写して教材にした」という。

藤森はスライドによる視聴覚教育のはじめだったろうと言い、暗室で実物や映像に触れる授業に生徒は引き寄せられ、みな三澤の授業が楽しみだったと振り返っている。また、板書をノートに写すことを許さなかったというのは有名な話だ。ノートに写している生徒

三澤勝衛先生（三澤先生記念文庫）

には、〝にやり〟としながら太い竹でぽかりと叩き、「こら、人の言ったことを書いて何になる。自分で考えろ」というのが常で、暗記型ガリ勉タイプの優等生に厳しいというのも人気の秘密だったらしい。

　三澤勝衛は、異端とされたというが、大正期の自由な信州の教育風土が生んだ代表的な教師像と言えそうだ。その教育スタイルは「どんなにたくさん、いろいろのことを暗記して良い成績を取り、その人が世の中に出て出世したところで、試験のために無理に詰め込んだ知識は、やがて忘れられてしまうだろう。しかし、少年期に自分の力で考え、苦しんでみて初めて得る知識は、おそらくその人の生涯を通じて決して滅びることはないだろう」という信念に貫かれ、教科書を使わず町や村に出て野外調査を展開した。

　徹底的に生徒自身に考えさせ、生徒の内なる意欲を引き出す秘訣として「渇したところへ水をやること。まず聴講者なり、被教育者なりの咽喉の渇くのを待って、あるいは盛んに空腹を訴えるようになったところへ、水なり、飯なり、その要求するものをやるということは、一つの秘訣と私はつねに考えているのである」と述べ、「将来必要だからこれを覚えておけ、あれもやっておけと、まだ、食欲も出ないうちから、食物を与えるから、いわゆる『詰め込み主義』の教育という変態的なものができるのである。〔それは〕彼らの腹をこわす以外のなにものでもない」と強く主張している。

ある春の朝、藤森栄一がいつものように登校すると、三澤は野外調査へ行くと言う。藤森栄一はその日の朝に見たとても珍しい現象を思い起こした。「前の晩は暖かく雨が夜通し降った。目覚めたらことごとくが氷菓子のようにきれいに凍りついていて仰天した」と言っている。霧氷ではなく、上空に暖気があり、地表に急冷した気流がある場合、ごく希に起こる現象だという。三澤はこの記録のためにカメラ愛好家の親を持つ生徒を動員し、分布図づくりに狂奔し、気象学の専門誌に投稿、連載されたという。そして三澤勝衛は生徒に向けて「地理学とは、大気と大地の接触現象を正しく理解する学問なんだ。そうだ。地理とは、どこの国が人口いくらあって、首都がどこで、産業はどうだこうだ、という暗記ものではないのだぞ。（中略）まず、自分を見つめろ」と言ったという。生徒は驚き、今までやってきた「覚える」という作業からはまったく無縁の輝くような学問の実体に触れて奮い立ったと藤森は記している。

諏訪という風土に起こった稀有な現象に、教師の三澤自身が驚き、前のめりに調査に没頭する姿ほど生徒にとって刺激的なものはなかったのではないだろうか。目の前の現象に刮目し、そこから学び取っているのは、教師の三澤自身なのだ。

藤森は、新田次郎と三澤勝衛の想い出についても紹介しており、その文章が興味深い。

新田は、〔諏訪〕市の裏山へ入る渓谷の奥の角田《ママ》新田という山村の出で、藤原咲平の甥に生れ、街の中学に通っていたが、その山の名、霧ヶ峰のように、朝は谷いっぱいの霧の中を街まで四キロ歩いて通学していた。新田は、とうとうその霧をとらえて、毎朝観測をつづけて、三沢に大いにほめられたということである。

この話を知ると、ビーナスライン反対運動について書いた小説のタイトルに新田次郎が『霧の子孫たち』と名付けた思いの深さが沁みてくる。

新田次郎本人が三澤勝衛の想い出を記したエッセイが残されているので、抜粋して紹介する。

中学在学中の思い出の中で三沢先生の講義ほど、その後自然科学の方へ向った人たちに取って有益なものはなかった。高等な地理学を教えたというのではなく、科学する心を私たちに植えつけたことが、その後の私たちの動向に大きな影響を与えた。

ここで名前は上げないが、私たちのクラスに、ごたが一人いた。そのごたが、窓ガラスを破った。そこへ三沢先生がとおりかかって、その割れ目について興味を示され、割れたガラスに紙を張った。窓からはずして、同心円状と放射状割れ目の物理的性質について、一時間の講義をした。たいへんつよい印象で、今でもはっきり覚えている。（中略）

三沢先生は日曜日になると、ゲートルを穿いて、あっちこっちに研究に歩き回っておられた。山の中で、ひょいっと、でっかわしたことがあるが、けっして笑顔は見せなかった。いつだって、にが虫をかみつぶしたような顔をしておられた。

上京してから一度、伯父〔藤原咲平〕の応接間で三沢先生に久々にお目にかかったことがある。確か先生が胃の手術をする前だったと覚えている。私のことは、まさか覚

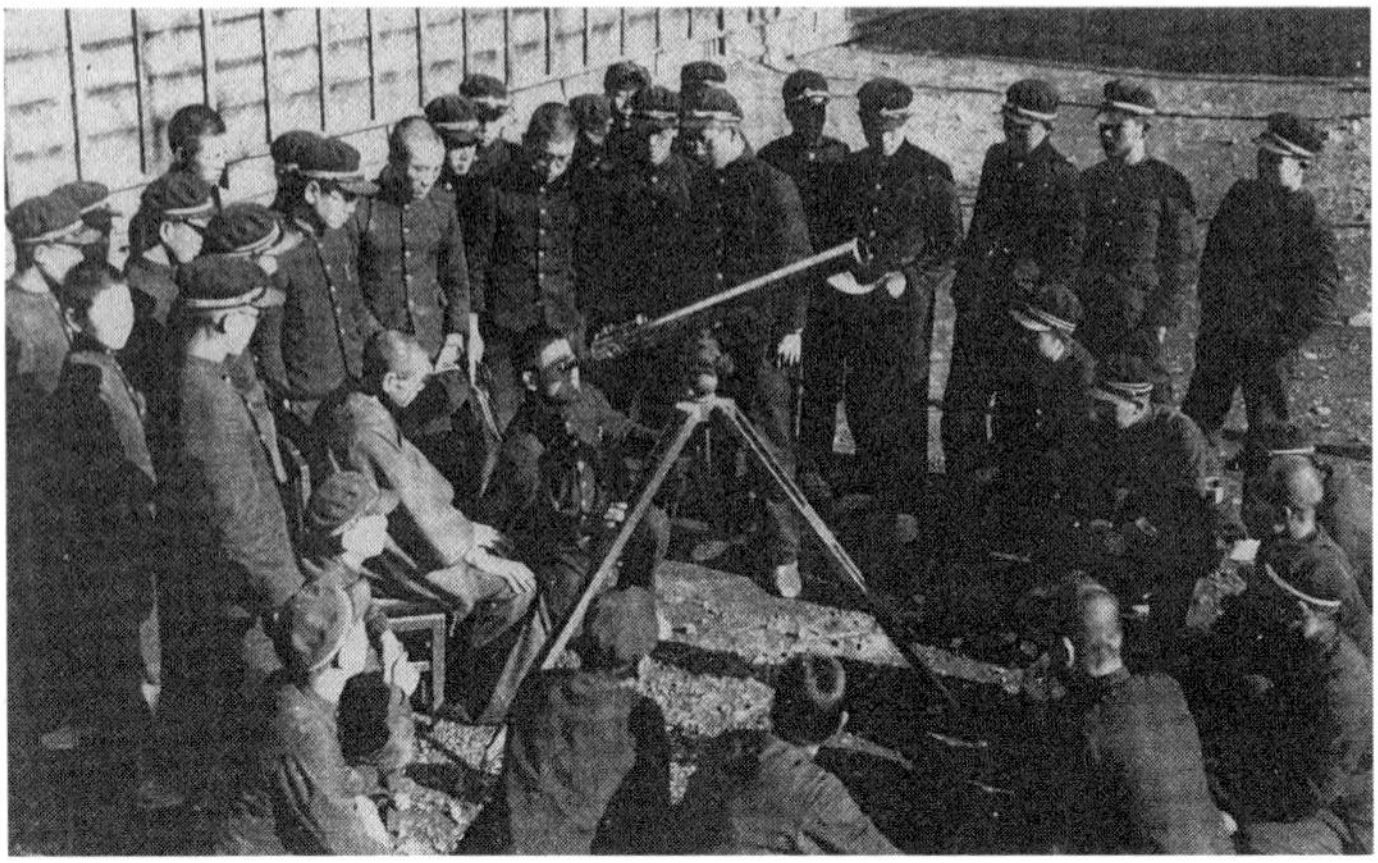

三澤先生と生徒たち（三澤先生記念文庫）

えていては、くれないと思っていたが、ちゃんと覚えていてくださって、ひどくうれしかった。その時、三沢先生は笑顔を見せた。三沢先生が笑うと童顔になる。私は珍しいものを見るように先生の顔を眺めていた。

新田が書く通り、三澤は、天文学の古畑正《ふるはたまさ》秋《あき》、地理学の矢沢大二、地震学の河角廣《かわすみひろし》、火山学の諏訪彰など、第一線で活躍した科学者たちも育て、大きな影響を与えた。

また、「けっして笑顔は見せ」ず、「にが虫をかみつぶしたような顔」は、教え子と睦み合うのではなく、むしろ厳しい態度で、「徹底して自分の頭で考え、自らの創意によって目の前にあるものから道を拓くこと」を教えた人だったのではないだろうか。

三澤の厳しさについて、藤森栄一が印象的なエピソードを書き留めているので、もう一つだけ紹介しておこう。中学卒業後、家業を手伝うために進学の道を断たれ、倦んだ日々を送っていた藤森栄一は、ある日、三澤に会いに母校を訪れた。

「先生、何かわしにいい職業はないか」

三澤勝衛は、おもむろに書庫へ入り、『日本人職業便覧』という冊子を差し出し、

「この中から探せ。家へ持っていって研究してみるんだね」

と言った。そこには総理大臣、大学教授からオワイ屋、キセルのラオ直し屋までずらりと名前だけが並んでいる。藤森は奮然として、

「先生なぁ、俺は職業の勉強をしに来たんじゃねえ。就職を頼みに来ただぜ」

「馬鹿もの！」

と怒鳴ったのは三澤勝衛だ。〝あのなつかしい雷が落ちた〟と、藤森は書いている。

「俺はな、自分で自分の行先も考えられないような教育をした覚えはないぞ」

と言ってはらはらと泪《なみだ》を落とす恩師の姿を藤森は心に留めた。この後、藤森は考古学の

道へと突き進んでいく。まさに校是であった「自反而縮雖千万人吾往矣」（自分の行いが正しいと思うなら、たとえ敵が一千万人いようとも自分の道を進め）を地で行ったのだ。

三澤は「科学的態度」を重視し、教壇に立つ傍ら、自身も熱心に科学の研究に取り組み、論文を書き続けた。

私は科学なるものはなにも自然を征服するために起こったものとは考えていない。科学の職能は自然を理解し、自然の真相をきわめ、その自然の偉力を礼賛しわれら人類はそのすべてをあげてそれをその大自然の中に投げ込み、巧みにその大自然に調和し巧みにその大自然を背景とし、否、まったくそれに合致して活動するべき点にあると信じている。

と言っている。

三澤は太陽の黒点の観測を、毎日一〇年以上も続け、その結果を藤原咲平らのもとに送り、そのデータは多くの研究者に活用されたという。熱心に黒点観測を続けたあまり、片眼を失明したというエピソードは、彼のもつ徹底した厳しさを物語る。なお、諏訪清陵高校では、この三澤の偉業を受け継ぎ、天文気象部の生徒により、太陽の黒点観察が今も続けられているという。

また、三澤勝衛が取り組んだ数々の在野の研究は、寺田寅彦に認められ、寺田の手により中央の学会で発表されたり、時に英訳されて国際的な学術発表の場に提出されるなどした。

新田次郎のエッセイにより、三澤と藤原咲平は親交があったことがうかがえる。三澤は咲平を通して寺田寅彦を知ったものかと思うが、寺田寅彦も地方で地道な研究をする在野の研究者に目配せをし、手を差しのべ続けた。

ここで、夏目漱石、岩波茂雄と近しかった哲学者の和辻哲郎が寺田寅彦について敬意に満ちた随筆をしたためているので、引用しておこう。

> 寺田さんは最も日常的な事柄のうちに無限に多くの不思議を見出した。（中略）
> 夏の夕暮、ややほの暗くなる頃に、月見草や烏瓜《からすうり》の花がはらはらと花びらを開くのは、われわれの見なれていることである。

しかしそれがいかに不思議な現象であるかは気づかないでいる。寺田さんはそれをはっきりと教えてくれる。あるいは鳶《とんび》が空を舞いながら餌を探している。われわれはその鳶がどうして餌を探し得るかを疑問としたことがない。寺田さんはそこにも問題の在《あ》り場所を教えその解き方を暗示してくれる。（中略）われわれはそれほどの不思議、それほどの意味を持ったものに日常触れていながら、それを全然感得しないでいたのである。寺田さんはこの色盲、この不感症を療治してくれる。この療治を受けたものにとっては、日常身辺の世界が全然新しい光を以て輝き出すであろう。（『黄道』）

と記し、最後に寺田寅彦の「西洋の学者の掘り散らした跡へ遥々《はるばる》遅ればせに鉱石の欠けらを捜しに行くのもいいが、われわれの脚元に埋もれている宝を忘れてはならないと思う」という言を引き、「寺田さんはその『われわれの脚元に埋もれている宝』を幾つか掘り出してくれた人である」と結んでいる。

三澤にも同じように脚元に埋もれている宝を掘り返し、「当たり前」の現象の中に無限の不思議を見出す心性があると思う。

自然の活用と征服の分岐点

三澤は科学を通して、諏訪という地をみつめていたが、それは自然を観察するだけにとどまらず、土地を見極めることは、ここで人々がどのように生きていくことができるのか、考えることにも直結していた。

三澤は、一九二〇（大正九）年に諏訪中学に赴任して、まず製糸業について具に調査をしている。それはたった一〇人取りの座繰り製糸から始まった片倉家の糸取りが、シルクエンペラーと呼ばれた二代目片倉兼太郎の下で大きく成長し、片倉製糸紡績という一大財閥を形成し急拡大していた頃でもあった。

三澤は、諏訪の製糸業の成功の背景にある「地域の力」について解明を試みた。製糸業をスタートアップするのに、諏訪は恵まれた風土を有していた。水、風、冷涼な気候、適度な湿度、工女、そして養蚕農家……。この一つひとつについて、地道な観測と集計を行い、関係者（当時、幕末に製糸業を創業した世代も存命だった）から聞き書きをし、実証している。三澤は、実際家や篤農家の話に耳を傾けることを薦めている。つまり、製糸や養蚕に取り組んだ人々は、実によく風土の形質を知り、活用する術を知っていたというのだ。

ところが、最初の頃は、原料やエネルギー、人材も諏訪の域内で賄《まかな》えていたものが、どんどん事業規模が拡大する中で、「天然自然の天恵」ではとうてい賄いきれない産業に膨れ上がっていく。その過程を三澤は実際に見聞きしている。三澤は製糸業の発展に対して否定的には捉えていないが、規模の拡大により、水の供給が足りなくなり、諏訪湖の水位が下がり、水質も悪化しているといった事実は書き記している。これは天恵を活かして循環する「風土産業」として優等生だった製糸業が、〝スピンアウト〟していくターニングポイントを捉えたものとも言える。

市場経済の土俵では、むしろ〝スピンアウト〟を「成長」と捉え、社会的な評価や信用が上がっていく。製糸業の土台は「蚕」という生き物を相手にする不確定な要素に満ちている。いかにその不安要素を克服し、均一化、効率化、工業化するかが、国際競争力を培う上で重要であり、「成長」のカギでもあった。

片倉製糸は、中央線の岡谷への引き込み要請、水力から電力への切り替えなどを行う一方で、季節産業ゆえに、安定した資金繰りが行えないという宿命に対しては、佐久出身で第十九国立銀行の頭取・黒沢鷹次郎《ようじろう》との出会いにより、不安定要素を克服していく。黒沢

繭倉庫（岡谷蚕糸博物館）

は諏訪倉庫を経営し、原料繭をしっかり管理し、その繭を担保にして、製糸家に融資をした。

また、今井五介（初代片倉兼太郎の実弟）が行った一代交雑蚕種（Ｆ１）の普及は片倉製糸の土台をゆるぎないものにしたという。天然自然の繭は糸の太さや長さ、色つやもバラバラで規格を揃えるのに苦心した。しかし、一代交配の蚕種は品質が安定し、病気にも強く、繭も大きかったという。

この一代交配は現在、野菜の栽培でも主流になっている。わが家も祖父母の時代までは、種子を自分の手元で採り、次の年まで一升瓶に入れて保管して永続的に栽培を続けてきた。ところが一代交配の種子が普及したことにより、毎年種子や苗を買うのが当たり前となり、やがて自家採種はできなくなるかもしれない。さらに今、種子は遺伝子組み換えの時代に入っている。「世界の食糧危機を救う画期的な技術」と言われているが、それは三澤の戒めた「自然力征服」なのではないか……。

風土と満州移民

三澤が諏訪中学にいた大正から昭和初期は、自由でありながら本当の意味で自己を見つめる骨太な信州教育が花開いた時代であった。ところが昭和に入ると一転、挙国一致の暗黒が支配する時代に向かった。

開戦前夜の一九三三（昭和八）年、長野県下の教育者の多くが治安維持法違反で検挙され、弾圧を受けた。一九三〇（昭和五）年に起こった世界恐慌による農村の極度の貧困、疲弊が引き金になり、社会運動も頻発し、共産党の水面下のオルグ（勧誘活動）も活発化した。先立つ一九二七（昭和二）年には、諏訪岡谷の製糸会社「山一林組」の工場で、工女一三〇〇名を挙げての大規模な労働争議も起こっていた。

不幸にも、自由教育の推進者は、主義主張にかかわらず「まつろわぬ者」として弾圧の対象になってしまった。ことごとく犯罪者として服役したり、解雇されたり、左遷の憂き目をみる中で、主に大正時代、幅広い分野に幾多の人材を送り出してきた信州教育は勢いを削がれていった。三澤勝衛は共産主義者でも社会主義者でもなかった（本当の意味での自由主義者だったかもしれない）が、当局に危険視されていたらしい。この事件を「長野県教員赤化《せっか》事件」、あるいは「二・四《にし》事件」と呼ぶという。こうして信濃教育会は挙国一致の戦時教育へと舵を切っていく。

長野県は、疲弊した農村の救済策という体で、満蒙開拓青少年義勇軍（満蒙開拓団）を積極的に推進したが、その中心を担ったのは皮肉にも信濃教育会だった。

一九三〇（昭和五）年に起きた世界恐慌は、日本の農村に壊滅的な危機をもたらした。「東北の農村の身売り」のイメージは江戸時代の昔からあったかのように思っていたが、この恐慌が日本の農村に決定的な悲惨をもたらしたのだと知った。その原因は、世界恐慌で生糸の最大の輸出先のアメリカが経済危機に陥ったことで、生糸の輸出が激減したことによる大暴落から始まった。特に東日本では、製糸業の「下請け」としての養蚕に依存していたこと、生糸に続いて米価が暴落したことが農村を追い詰めた。関東大震災の爪痕も残る中、冷害や三陸大津波、大凶作……と、追い打ちをかけるように天災が見舞った。

製糸業が盛んだった下諏訪に一九〇四（明治三七）年に生まれた今井久雄翁は『村の歳時記』で、

第一次欧州大戦の後、爆発的な糸価の高騰もつかの間、その反動で再び底なしの暴落となった。やがて大正十二年九月、関東大震災では、横浜に出荷されて輸出を待っていたまま焼失した生糸は莫大で、製糸家は大きい打撃でいく軒かが潰れてしまった。その痛手の癒える間もなく、昭和初期の世界的大不況にさらされ、糸価はさらに暴落して、養蚕農家ともども塗炭の苦しみで、皆歯をくいしばった。やがて戦火が大陸に広がり、米国の経済封鎖を受けるに及んでは、製糸業はもう立ち行けなくなってしまった。

と、当時を振り返っている。

国際的な金融市場の影響をもろに受ける製糸業と結びついた農村経営は、決定的に逼迫してしまった。市場経済に直結する構造を顧みて国内の農村の再生を図る道もあったと思うが、現実には土地と資源を外に求めて日本は植民地化へと踏み出してしまった。

真に風土を生かす

諏訪郡原村に八ヶ岳中央農業実践大学校がある。現在は都市に生まれ育ち、農業をまったく知らない人も実習生には多いという。八ヶ岳の眺めもよく実習生の作る農産物や加工品も直売されているため、時折立ち寄り息を抜く場所でもある。ここは一九三八（昭和一三）年に八ヶ岳中央修錬農場として開設された。満蒙開拓団を推進した石黒忠篤が初代場長に就任していることからも、満蒙開拓青少年義勇軍の養成所的性格を持っていたであろうことがわかる。

「農政の神様」といわれ、後に農林大臣（第二次近衛内閣）を務めた石黒忠篤は、新渡戸稲造が提唱した「地方学《じかた》」（地方研究）を学ぶ「郷土会」のメンバーで、同じ農商務省官僚だった柳田国男とも親しく、日本の民俗学の成立に立ち会っている。宮本常一を支援した渋沢敬三とは姻戚関係にあり、敬三と柳田国男を引き合わせるなど、親しい関係にあった。

しかし渋沢敬三は、満州移民政策には悲観的な展望を持っていたようだ。宮本常一が満州建国大学に招聘された時、「満州へ行くことも意義はあるだろうが、まず、日本を見ることだ。満州は必ず捨てなければならなくなる日が来る」と言って、宮本に舞い込んだ招聘の話を断ってしまったという。恐らく渋沢と親交のあった石黒自身も満蒙開拓団の推進にいくばくかの疑問と迷いを抱えていたのではないだろうか。

我らが三澤勝衛は、この時代をどのように乗り切ろうとしていたのだろうか。

「今日、地方の疲弊は相当深刻である。地方の持つ文化が、その地方の風土性に立脚することを忘れて、いたずらにいわゆる都市文化を追従してきた結果であり、地方性に即した文化の建設ということが、もっとも正しい地方振興の意義」だと言っている。

彼はあくまでも、その土地で暮らしを成り立たせようとしていたのだ。

風土に良し悪しはなく、やせ地であればやせ地に適した栽培をすれば良いと言い、たとえば、ソバや桃、桜桃《さくらんぼ》の名所はやせ地にあると言っている。信州で桃の産地として知られる北佐久は、浅間山の噴火で積もった軽石が五、六メートルも堆積したところだと例を挙げている（一つひとつの事例を紹介できればよいが、紙幅に限りがあるので、三澤勝衛の本や三澤勝衛について書かれた書に直に触れる導きとなれば幸いだ）。

第四章　人と風土が織りなす地平

岡谷から見た諏訪の平(岡谷蚕糸博物館)

「風土に働いてもらう。風土を産業の要素に織り込んで働いてもらうことこそ大切なのです」とも言う。

いずれにしても、人為的な操作を加えず、その土地（風土）が天然自然に持つ力「天恵」を最大限に引き出す農業や産業を望ましいと三澤は考えていた。自らの暮らす風土が持つ特性をしっかり見極めることで、その活かし方がわかり、生産性を上げることができると三澤は説く。それは、「満州などに出て行かずとも、自分の土地をしっかり見極め、正しく活用すれば暮らしを立てることは可能なのだ」と看破していたと同時に、変節した信濃教育会への反骨でもあったように思われる。

三澤勝衛は、太平洋戦争が始まる四年前の一九三七（昭和一四）年に、教育者として、また在野の研究者として心血を注いだ諏訪で、五二年の生涯を閉じた。その後、藤森栄一は、中国、南方戦線に応召、新田次郎は満州国中央気象台に転属となり、家族を連れて渡満する。夫人で作家の藤原ていが、その引き揚げの苦難を綴った『流れる星は生きている』は多くの人に読まれた。このように、三澤勝衛が手塩にかけた教え子らの多くが戦地に送られ、命を落とした者もいたと思われる。それを目の当たりにせずに済んだのは不幸中の幸いであったのかもしれない。

ある日、私たちは「三澤先生記念文庫」を訪れたいと思い、諏訪清陵高校の校長を務めていた石城正志さんに連絡を取った。諏訪清陵高校内にある「三澤先生記念文庫」は三澤が遺した膨大な資料を保管し、後世に伝えている小さな図書館だ。石城さんは快く見学に応じてくださった。後に、この「三澤先生記念文庫」は、ビーナスライン反対運動の代表を務めた青木正博が時の校長・大森栄と協力して資金を集め、設立したものだと知った。石城さんもまた、この諏訪清陵高校の卒業生で、なんと杖突峠に案内してくださった教育委員会の高見俊樹さんと同級生なのだった。ここは、信濃教育が大いに花開き、人材が巣立った場でもある。ひげを蓄《たくわ》えたコワモテの石城さんだが、そのメガネの下の小さな目には、優しさとともに学校への誇りと愛着が感じられた。

なにしろ膨大な資料が所蔵されている。これは「大八車」とあだ名された三澤勝衛が授業のためにふんだんに用意した資料や、自らの研究の成果なのだろう。

資料室の壁に、三澤勝衛の直筆の書が掲げられていた。

風土　風土ハ大自然である　大自然風土　その風土に正しく生きて居る人によって

こそ　初めて真にその風土を生かし得ることができるのである

これは三澤勝衛が最後に手掛け、未完成のまま絶筆となった『風土』の草稿だという。

風土のゆくえ――天恵と人為

多摩丘陵に戻った私の目に映るのは、コンクリートとアスファルトに囲まれた街並みだ。しかし、ここがなだらかな起伏を描く山並みであったことを、いつでも瞬時に思い浮かべることができる。

穏やかな村に何台ものブルドーザーが運び込まれ、唸りを上げながら山を切り崩しにかかった時、私は「あの木」のことが気に懸かっていた。祖母が寝入りばなに聞かせてくれた「伐ってはならない木」のことが……。

その太くて高い松の木は、伐ろうとする者の命を奪った。小さな斧を入れようとしただけで死んでしまった男がいたというが、山ごと切り崩せば、どんな報いがあるかわからない……と怖れていた。

実際には何事も起こらなかった……と思っていた。しかし、あの時代に日本列島全体で展開していた開発行為は、今になってブーメランのごとく人の暮らしの根底を脅かし、改めて問いかけてきているように思う。我が村で木が切り倒され、山が切り崩されたように、それは日本中に広がり、やがてアジアや南米、アフリカにも飛び火した。

祖母の話には「伐ってはならない木」の他に「山に入ってはならない日」「夜、口笛を吹いてはいけない」など、いくつもの禁忌があり、幼い日に聞いたそれらの話は、「得体のしれない何やら巨大なもの」への畏れをともなってはっきりと記憶されている。こうした言い伝えは、おそらく日本列島（いや世界）各地で生き続けてきたが、迷信とされ、いつしか語る人もなくなりつつある。

近代科学で証明ができるかと問われれば言葉に窮するが、少なくとも自然や風土に対する底知れぬ畏れ、あるいは人間が好き勝手に足を踏み入れ、手をつけてはならぬものだといった「節度」を促すはたらきがあったことは間違いない。そして、この禁忌と表裏をなすように、村には祈りの時と場があった。

言い伝えを聞くことがなくなって久しいが、あれから自分も含めて、人は天恵と人為の分岐点を感知できなくなってしまったかのようだ。

三澤勝衛は迷信に科学をもって挑んだわけではないが、少なくとも風土を尅《こく》することなく、脚元の天恵を十二分に活かしめるための科学を提唱したものと理解している。新しくやってきた都市生活者に通用する言葉に置き換えられずに消えざるを得なかった身の回りのものたち。大切だとは思っても、他者に伝えることも共有する術も知らなかった私。しかし、私が生まれる前の時代に、しかもあの戦争を迎える前夜に、「科学」という方法で風土への向き合い方を他者に伝達することに力を注いだ三澤勝衛という人、そして自らの足で歩んだ弟子たちを生み出した諏訪から、大いに勇気をもらうことができた。

今後、新型コロナウイルスの蔓延を機に、都市に集中してきた暮らし方に変化が現れるかもしれない。テレワークを通じて地方に住むということも大いにあり得る。そんな時、都市の価値観をそのまま地方に持ち込むことには慎重になってほしいと願っている。そこは無住のフロンティアではない。都市の人には見えなくても、そこには土地の人が営々と紡いできた暮らしがあり、文化がある。都市の人にとって、取るに足らないもの、時代遅れの因習と映っても、そこには必ず風土との向き合い方が宿されている。

見知らぬ土地に足を踏み入れる時、三澤勝衛の「風土学」は味方になってくれるはずだ。ぜひ、「風土に馴染む佇まい」を醸す人、建物、手仕事などに出会ったら、心を寄せてみてほしい。

そして、アスファルトとコンクリートに囲まれたこの土地からでも、再び新たな試みをする勇気を諏訪は、そして三澤勝衛は与えてくれた。

「さて、三澤勝衛ならどうするだろう……」などと言ったら「自分の頭で考えろ！」とカミナリを落とされそうだ。

さあ、今からでも遅くはない。気がついたところがスタート地点なのだ。

軸足を見失わなかった「諏訪式。」に倣い、この多摩丘陵で新旧を問わず、この土地に住む者、愛着を持つ者が互いの思いを持ち寄り、新たな場を開いていこう。

開発で消え失せたのではなく、開発によって始まった出会いがよりよい地域を創ると信じて。

あとがき

東日本大震災の年に取材を始めた『諏訪式。』は、新型コロナウイルスのパンデミックという状況の中で終章を迎えた。もちろんまったく予期したものではない。けれども、私の意図とは離れたところで、何かの意味があるのかもしれない……と思えている。

映画『ものがたりをめぐる物語』の撮影で初めて足を踏み入れた諏訪で、たくさんの方々にお世話になった。その諏訪に何か恩返しができないだろうか……という思いもあって、ささらプロの情報誌『そもそも』に連載を始めたのが『諏訪式。』だった。この連載に目を留め、書籍化を勧めてくださったのが、亜紀書房の足立恵美さんだ。自分の足元を掘り下げた前作『オオカミの護符』を経て、見ず知らずの土地で挑む執筆に心を寄せてくださったことをとてもうれしく、頼もしく思った。

ところが、第二章を書き上げ、第三章に差し掛かるところで筆が止まってしまった。

足立さんが待った時間はおそらく七年を超えていたと思う。それでも筆の止まった私を変わらず励まし、待ち続けてくださった。何ごともスピードが要求される世の中にあって、「待つ」ということがどれほど尊いことか。それは「信じる」という行為でもある。私はそれに救われた。

筆が止まってしまったのは、諏訪にまつわる膨大な資料に圧し潰されそうになりながら、「世間に認められたい」という我欲に囚われていたのだと気がついた。

諏訪は行くたびに洗い清められるような清涼感が魅力だった。それは澄みわたる高原の気候によるもの……と思っていた。ところが、諏訪の海苔商いの出稼ぎ衆が、商いの成功を「自分の才覚」と奢らずに、「諏訪明神」のお蔭だとして、御湯花講を組み諏訪大社に毎年お参りをするようになったように、この生真面目で信心深い人たちの心根は今の諏訪人にも生きていて、それが清らかな心象を生むのではないか……と思うようになった。

考えてみれば、『諏訪式。』に登場した現世に生きる人や彼岸に渡った人、彼らが諏訪湖を取り巻くように相集い、私は彼らが語りかけてきたことを筆記し、とりまとめたに過ぎない。

今を生きる人間だけが「世の中」を作っているのではない。先人の智慧や思いは風土に刻まれ、耳を澄ませば聞こえてくることを諏訪は教えてくれた。

最後に、諏訪で出会った皆みなさま、編集者の足立恵美さん、亜紀書房のみなさん、校正の牟田都子さん、装丁の寄藤文平さん（寄藤さんの故郷は諏訪と地つづきの箕輪町だそうだ）と古屋郁美さん、そして映画監督の由井英をはじめ、九年もの長い時間、励まし続けてくれた仲間たち。一冊の本の誕生に、たくさんの方が心と力を寄せて支えてくださったことに心からの感謝を申し上げる。

小倉 美恵子

参考文献

伴在賢時郎編集『諏訪マジカルヒストリーツアー』長野日報社、二〇〇七年
『東洋のスイスをつくった人々』社団法人諏訪青年会議所、一九八九年
伊藤岩廣『セイコーエプソン物語』郷土出版社、二〇〇五年
三協精機製作所『オルゴールの詩――東洋のスイス物語』三協精機製作所、一九八一年
岡谷市教育委員会『ふるさとの歴史　製糸業』一九九四年
岡谷蚕糸博物館紀要編集委員会『岡谷市蚕糸博物館紀要　第一一号〜一四号』
嶋崎昭典『我が国の製糸業の変遷とこれからの生きる道』Web
高林千幸『製糸の立場から見たブランドシルクの提案』蚕糸技術一四九号、一九九五年、Web
農業史編纂委員会『農民の生活　長野県岡谷地方の農業の歴史』長野日報社二〇〇一年
戸沢充則『道具と人類史』新泉社、二〇一二年
語り横山章、文奈川稜、挿絵 熊澤祥吉『諏訪の民話伝説』マリオくらぶ、二〇一二年
隅谷三喜男『賀川豊彦』岩波現代文庫、二〇一一年
速水融『歴史人口学で見た日本』文春新書、二〇〇一年
速水融『歴史人口学の世界』岩波現代文庫、二〇一二年
小林茂樹『諏訪の風土と生活』一九七七年
『写真集　私たちの諏訪物語』諏訪市教育委員会、二〇一一年
降幡利治『諏訪よもやま一〇〇話』郷土出版、一九七七年
諏訪教育会郡史委員会『諏訪の歴史ハンドブック 近現代編』諏訪教育会、二〇一一年

『ある時計工場の歴史2　賀川豊彦と農村時計』庄和高校地理歴史研究部、年報第6・7号、一九九一年
曽田三郎『中国における近代製糸の展開』歴史学研究489号、一九八一年
畑中章宏『蚕――絹糸を吐く虫と日本人』晶文社、二〇一五年
辺見じゅん『呪われたシルクロード』角川書店、一九七五年
市川一雄『すわ人物風土記』信州風樹文庫ふうじゅの会、二〇一五年
『写真で見る岩波書店八〇年』岩波書店、一九九三年
安倍能成『岩波茂雄伝』岩波書店、一九五七年
小林勇『惜櫟荘主人――一つの岩波茂雄伝』岩波書店、一九六三年
中島岳志『岩波茂雄――リベラル・ナショナリストの肖像』岩波書店、二〇一三年
紅野謙介『物語岩波書店百年史1』岩波書店、二〇一三年
神戸利郎『島木赤彦』赤彦記念誌編集委員会、一九九三年
『信州の人脈』信濃毎日新聞社、一九六六年
『諏訪市史』中巻・下巻、諏訪市役所、一九七六年・一九八八年
『地域文化 信州の出版人　その系譜と志操』八十二文化財団、二〇〇四年
斎藤茂吉『島木赤彦臨終記』青空文庫（初出『改造』一九二六年）
宮川康雄「島木赤彦と関東震災」Web
武井武雄『戦中・戦後気侭画帳』ちくま学芸文庫、二〇〇五年
『別冊太陽　武井武雄の本』平凡社、二〇一四年
『生誕120周年　武井武雄の世界展』NHKサービスセンター、二〇一四年
矢崎秀彦『寒水　伊藤長七伝』鳥影社、二〇〇三年
臼井吉見『安曇野』筑摩文庫、一九八七年

市民タイムス「臼井吉見の『安曇野』を歩く」郷土出版社、二〇〇五年

群ようこ『妖精と妖怪のあいだ――評伝・平林たい子』文藝春秋、二〇〇五年

司馬遼太郎『街道をゆく三六　本所深川散歩、神田界隈』朝日文庫、一九九五年

岡茂雄『本屋風情』中公文庫、二〇〇八年

高橋敏『江戸の教育力』　ちくま新書、二〇〇七年

田部重治『新編　山と渓谷』岩波文庫、一九九三年

「文庫　小さな本の大きな世界」季刊誌『考える人』新潮社、二〇一四年夏号

篠田鉱造『明治百話』岩波文庫、一九九六年

石塚純一「岩波茂雄と下中弥三郎――昭和三年前後の出版社の内的転換」一九九八年、Ｗｅｂ

今井久雄『村の歳時記』草原社、一九七九年

『ＫＵＲＡ　諏訪・八ヶ岳ビーナスライン　やい〜！諏訪かえ。』まちなみカントリープレス、二〇一三年

藤森弘子『まぼろしの花街　大手』長野日報社、二〇〇七年

橋本光明「信州における新教育運動と美術教育（１・２）」一九九四年、Ｗｅｂ

井村俊義『試論　前近代から近代への移行期における精神の病とナラティヴ――文学と民俗学の視点から』長野県看護大学、二〇一四年

井村俊義『忌避される死と近代的思考――生と死を相対化するためのいくつかの視点』長野県看護大学、二〇一五年

藤森栄一『古道』講談社学術文庫、一九九九年

藤森栄一『信州教育の墓標――三澤勝衛の教育と生涯』学生社、一九七三年

藤森栄一『新信濃風土記　諏訪』社団法人信濃路、一九七一年

藤森栄一『縄文の八ヶ岳』学生社、一九七三年

新田次郎『霧の子孫たち』文春文庫、二〇一〇年
新田次郎『聖職の碑』講談社文庫、一九八〇年
根本順吉『渦・雲・人――藤原咲平伝』筑摩書房、一九八五年
宮本常一『塩の道』講談社学術文庫、一九八五年
唐木つや子『てんやしょう』銀河書房、一九八二年
矢崎孟伯『信州寒天発達史』銀河書房、一九九三年
宮下章『海苔の歴史』全国海苔問屋協同組合連合会、一九七〇年
『全国乾海苔検査員会一五年の歩み』全国乾海苔検査員会、一九八五年
市川一雄『四王湖岸』鳥影社、二〇一九年
市川一雄『岡谷製糸王国記――信州の寒村に起きた奇跡』鳥影社、二〇一九年
湯田坂正一『やまうら風土記』長野日報社、一九九九年
『三澤勝衛著作集――風土の発見と創造1　地域個性と地域力の探求』農文協、二〇〇九年
『三澤勝衛著作集――風土の発見と創造3　風土産業』農文協、二〇〇八年
志村明善編著『三澤勝衛「風土産業」を読む―未来をひらく真の地方振興の道―』あざみ書房、二〇一六年
志村明善『エコボーイズ』　風土書房、二〇一九年
井村俊義『超看護のすすめ』コトニ社、二〇一九年
平川南『あたらしい古代史へ1――地域に生きる人びと　甲斐と古代国家』吉川弘文館、二〇一九年
平川南『あたらしい古代史へ2――文字文化のひろがり　東国・甲斐からよむ』吉川弘文館、二〇一九年
島利栄子『山国からやってきた海苔商人』郷土出版社、一九九一年
小林惟司『寺田寅彦の生涯』東京図書、一九七七年
宮坂増雄『写真集　懐かしい諏訪』二〇〇一年

参考文献

内山節『未来についての想像力――農ある世界への構想』農文協、二〇〇九年
オギュスタン・ベルク『風土の日本――自然と文化の通態』ちくま学芸文庫、一九九二年
和辻哲郎『風土――人間的考察』岩波文庫、一九七九年
三浦展『ファスト風土化する日本――郊外化とその病理』洋泉社新書y、二〇〇四年
E・H・ノーマン『日本における兵士と農民』白日書院、一九四七年
「三沢勝衛地理研究資料目録」三沢先生記念文庫、一九八〇年
佐野眞一『宮本常一と渋沢敬三――旅する巨人』文藝春秋、一九九六年
『スワニミズム第四号』スワニミズム、二〇一八年
山本ひろ子編『諏訪学』国書刊行会、二〇一八年
田中基『縄文のメドゥーサ――土器図像と神話文脈』現代書館、二〇〇六年
中沢新一『精霊の王』講談社、二〇〇三年
石井吉徳「立体農業：賀川豊彦『人間の後には沙漠あり』から久宗壮（義父）による『日本での実践』まで」二〇一一年、ShiftM.JP（もったいない学会）Web
東西アスファルト事業協同組合講演会「近作を語る　伊東豊雄」一九九八年、Web

協力いただいたみなさま

熊澤正人、熊澤祥吉、北沢一行、高見俊彦、宮坂清（八劔神社宮司）、高林千幸、林久美子、嶋崎昭典、市川一雄、宮坂平馬、宮坂水穂、河原喜恵子、宮坂徹、石城正志、堀内幸春、山崎壮一、伴在賢時郎、堀内義彦、岩波弘之、河西節郎、藤森照信、三井章義、松木本、小池隆夫、藤森邦美、高木保夫、小林純子、守矢義衛、五味 滋、守矢早苗、平谷茂政、金田功子、下中菜穂、木村信夫、志村明善、宮坂泰子、石埜穂高、石埜三千穂、清水まゆみ、吉江志づか、西谷大、吉本哲郎、河野光枝、河野和義

諏訪市、諏訪市教育委員会、長野日報社、長野県立諏訪清陵高等学校、三澤先生記念文庫、諏訪湖博物館・赤彦記念館、八十二文化財団、八劔神社氏子中、岡谷蚕糸博物館、丸髙蔵、すわまちくらぶ、ホテル尖石、トコロテラス、セイコーエプソン株式会社、長野県寒天水産加工業協同組合、藤森商店、守矢武夫商店、信州おぶせ高井鴻山記念館、メイゼン教育研究所、イルフ童画館、平林たい子記念館、塩尻市立古田晁記念館、塩尻市立図書館、食事処・鐵・鐵鑛泉（下諏訪町）、岩波書店、ライフプラザ・マリオ、日本ハイコム株式会社、下諏訪倉庫株式会社、信濃毎日新聞社、八木澤商店、諏訪教育会、茅野市教育委員会

＊順不同、敬称は省略させていただきました。

小倉 美恵子 おぐら・みえこ

作家・映画プロデューサー

1963(昭和38)年 神奈川県川崎市宮前区土橋生まれ。

アジア21世紀奨学財団、ヒューマンルネッサンス研究所勤務を経て、

2006(平成18)年に(株)ささらプロダクションを設立。

2008年映画『オオカミの護符—里びとと山びとのあわいに』で

「文化庁映画賞文化記録映画優秀賞」、「地球環境映像祭アース・ビジョン賞」受賞

2010年 映画『うつし世の静寂《しじま》に』(支援:トヨタ財団)公開。

2011年『オオカミの護符』を新潮社より上梓。2017年「川崎市文化賞」受賞。

2021年 映画『ものがたりをめぐる物語』完成予定。

諏訪式《すわしき》。

2020年10月2日 第1版第1刷発行

著　者　小倉美恵子

発行所　株式会社亜紀書房
〒101-0051
東京都千代田区神田神保町1-32
TEL 03-5280-0261(代表) 03-5280-0269(編集)
http://www.akishobo.com
振替 00100-9-144037

装　丁　寄藤文平+古屋郁美(文平銀座)

印刷・製本　株式会社トライ
http://www.try-sky.com

Printed in Japan　978-4-7505-1665-3　C0095